新潮文庫

盗賊会社

星新一著

新潮社版

3392

目次

挿絵　和田　誠

盗賊会社

雄大な計画

ひとりの青年があった。名は三郎《さぶろう》という。彼はR産業の入社試験を受けた。その結果を待っていると、ある日、そこの社長が訪れてきた。三郎は驚き、ふしぎがりながら言った。

「これはこれは、どういうことなのでしょう。合格なら一枚の通知状ですむはずでしょう。といって、わざわざ不合格を知らせにおいでになったとも……」

「いや、最高の成績で合格だ。そこをみこんで、社としてたのみがある」

なにやら重大な用件のようだった。三郎は胸をおどらせながら聞いた。

「なんでしょうか、わたしにできることなら」

「じつは、わが社が不合格だったことにして、K産業の入社試験を受けてもらいたいのだ。きみなら必ず入社できる」

「なんですって。K産業といえば、あなたの競争会社。しかも、むこうがつねに一歩リードしている会社ではありませんか。わたしはこの形勢を逆転させることができたら、さぞ働きがいがあるだろうと思えばこそ、あなたの会社を望んだのです。それをなんで……」

社長はにっこりし、身を乗り出した。

「いまのその言葉は、まことに心強い。だからこそ、ぜひたのみたいのだ。きみの言う通り、わが社はいかに努力しても、K産業を追い抜くことはもちろん、追いつくこともできない。その秘密をさぐり、報告してくれる人物が必要なのだ」

「ははあ、スパイとなって潜入してくれというわけですね」

「そうだ、きみならきっとうまくやりとげてくれるだろう。成功したら、どんな報酬も出すし、すぐ重役にしてもいい。催促はしないから、あわてずにやってくれ。期間はいくらかかってもかまわない。また小さな秘密など報告しなくてもいい。つまらんことで感づかれては、もともこもないからな」

「わたしをみこんで、そうまでおっしゃるのでしたら……」

三郎はくどき落され、雄大な計画は開始された。すなわち、K産業の入社試験を受けて合格し、そこの社員となったのだ。

もちろん、入社して一年やそこらで、社の重要事項にタッチできるわけがない。だが彼はあせることなく、ひたすら努力した。まじめに仕事にはげみ、上役や同僚の信用を得ることを第一の目標としたのだ。また、社外でも身をつつしみ、ばかげた行為はつとめてさけた。周囲から怪しまれてはならぬし、スパイとして働くのには、早く有利な地位につかなくてはならぬ。

普通の社員だと、三年目ぐらいに倦怠期《けんたいき》が訪れてくる。職場が面白くないとか、自己の才能に疑問を持つとか、スランプでどうにも能率があがらないとかいう状態だ。しかし、三郎の場合は、仕事に情熱をそそぎつづけることができた。なにしろ、彼には、はっきりした使命があった。まわりではだれも気がつかないが、おそるべき役割りを持っているのだ。ほかの連中とはちがう。こんな面白いことはない。そう考えると、不満がわかないどころか、むしろ働くのが楽しかった。顔に浮かんでくる微笑を、押えるのに苦心した。

こんな人材となると、K産業としても、ほってはおかない。彼はたちまち異例の昇進をし、課長になった。機密に一歩近づいたことになる。しかし、そんなけはいは、少しもあらわさぬよう努めた。こんなところで正体がばれたら、いままでの努力も水の泡だ。

三郎はますます職務にはげんだ。ある時は、金をもらって他社に秘密をもらしていた部下の社員の行為をあばき、すぐさま追い出したこともあった。こんな社員がいては、せっかく遠大な計画のもとにスパイとして潜入している、自分の価値がなくなってしまう。

そんな功績もみとめられ、三郎はいっそうの信用がついた。そのうち人物をみこまれ、重役から娘と結婚してくれないかと申し込まれるまでになった。

断わると理由を問いただされ、怪しまれるだろう。三郎は承知した。進んで承知した。自分の正体をごまかすのに、こんないいかくれみのはない。スパイはドライでなければならぬ。利用できるものは、すべて利用せねばならぬ。もっとも重役の娘はちょっとした美人で、性格もよかった。

三郎は、家庭でもいい夫となった。敵を完全にあざむくには、まず味方からだ。妻は実家に帰るたびに、三郎のことをほめたたえた。これがいい結果をもたらすことは、いうまでもない。

彼は疲れを知らぬごとく、ひたすら働き、昇進し、K産業の中枢部《ちゅうすうぶ》へと接近していった。そのかいあって、まだ若いのに、役員会議に出席できるようにもなった。

三郎はここで考えた。K産業の全容を、ほぼ知ることができた。そろそろ報告をまとめてR産業に帰り、一段落にしてもいいころだ。しかし、こうも考えるのだった。せっかく、ここまでたどりついたのだ。もう少し辛抱すれば、さらに大きな収穫をもたらすことができるかもしれないと。三郎は後者の道をえらんだ。

ついに、目標に到達する日となった。K産業の秘密のすべてを知りうる立場にたどりつけた。つまり、社長になれたのだ。業界では、実力でかちとった若い社長ということで、評判になった。もちろん、ただ全部を知りうるだけではない、意のままに経営できるのだ。

「さて、K産業を生かすも殺すも、すべてわたしの胸のうちにある。ここで巧妙に倒産させれば、わたしの使命は成功のうちに、めでたく終りとなる……」

と彼はつぶやき、その先をつづけた。

「……しかし、なぜ、つぶさなければならないのだ。いままでの、血のにじむ努力。なまじっかの報酬では、とても引きあわない。もどってR産業の役員になっても、どうということもない。社長の後継者にしてもらっても、いまより落ちることになる」

身についたドライな考え方だけは、あいかわらずだった。

いっぽう、R産業の社長のほうは、この成り行きを喜びながら待っていたが、月日がたっても、なんの効果もあげてくれない。ひそかに連絡をつけようとしても、冷たい返事がかえってくるだけだ。腹立ちまぎれに〈K産業の社長は、わが社のスパイ〉というウわさを流した。ただのうわさではなく真実だったのだが、これは逆効果だった。

それを聞いてK産業の社員たちは怒り、新社長のもとに奮起し、激しい販売競争をつづけたあげく、とうとうR産業を倒産させてしまった。

新しい社長

エヌ氏は中年の男で、課長だった。その課は、宇宙旅行者用のバッグの販売が仕事だった。彼は会社の自分の机にむかい、書類に目を通していた。

すると、机の上のインターホンが鳴って、彼に告げた。

「社長がお呼びです。進行状況についての報告を、お聞きになりたいそうです」

「はい。ただいま……」

エヌ氏は立ちあがりながら、やれやれと思った。社長に呼ばれるというのは、だれにとってもあまり楽しいものではない。新社長になってからは、エヌ氏にとって、それはさらにひどいものとなっていた。しかし、逃げかくれするわけにもいかない。

彼はひとそろいの書類を手に、社長室へとむかった。途中で製造部長とすれちがった。浮かぬ顔をしているところから、製造部長も社長室からの帰りと思われた。

エヌ氏はドアの前に立ち、深呼吸をしてから、ノックをした。

「はいりたまえ」

「わたしをお呼びだそうで……」

エヌ氏はなかにはいり、姿勢を正し、頭を下げてあいさつをした。前には頭を下げすぎると注意されたので、きょうは軽くおじぎをするにとどめた。しかし、大きな椅《い》子《す》に腰かけている社長は、それを見てやはり怒った。

「おい。もう少し頭を下げろ。上体を前に三十度だけ傾けるのだ。わしは正確に三十度が好きなのだ。やりなおせ」

「はい。申しわけありません」

エヌ氏は、おじぎをやりなおした。社長はそれを、無表情にながめている。もう少し人間あつかいをしてくれても、いいではないか。まったく、社員をなんだと思っているのだ。不満ながらもくりかえすうちに、やっと社長の好きな三十度のおじぎができた。

「よし、それでいい、いまのこつを忘れるな。では、仕事の報告を聞こう」

「はい、今期の予定と実現とを、前期に比較してご説明しますと……」

エヌ氏は書類をめくって、順を追って話した。社長はうなずきながら聞いていたが、途中で手をあげてさえぎった。

「おい、いま五十五パーセントとか言ったが、そこはおかしくないかね」

あわてて書類を調べなおすと、社長の指摘した通り、まちがっていた。

「おそれいりました。五十四パーセントでございました」

「そういうことでは、いかんのだ」

社長は容赦なく大声で注意し、エヌ氏はおどおどした口調であやまった。

「はい。わたしの計算ちがいでございました。しかし、そう大声でおっしゃらなくても、よろしゅうございましょう。わずか一パーセントのちがいぐらいで……」

「いや。やはり、まちがいはまちがいだ」

「はあ。しかし人間、まちがいはだれにでもあることで……」

「そういう精神が、いかんのだ。きみは五週間前にも、同じようなまちがいをした。なにか、心理的な障害があるのかもしれないぞ。あとで医者にみてもらえ」

「はい。そういたします」

エヌ氏は神妙におじぎをした。上体は三十度かたむいたらしく、社長はそのことへの文句は言わなかった。だが、注意はべつな点に移った。

「そうそう、きみはこのごろ、交際費の使い方が多いぞ。なぜだ……」

社長はこまかいことまで、なにもかも見とおしている。もっとも、だからこそ社長なのだ。企業において、上に立つ者は、すぐれていなければならない。エヌ氏は弁解した。

「それは、その、売り上げをふやすためです。商談をまとめるには、販売店の担当者を招待し、酒でも飲ませて気分をなごやかにし、ムードが盛り上がったところで切り出したほうがいいのです。わたしは交際費を使っただけのことは……」

「いや、そんなことをする必要はない。費用は、製品の質の向上にまわすべきだ」

「ごもっともなご意見ですが、社長にはおわかりにならないでしょうが……」

「文句を言うな。わしの意見が正しいのだ。今後は招待などやめろ。これは命令だ。わかったか。わかればいいのだ」

「はい。では、わたしは仕事に戻ります」

エヌ氏はまた三十度のおじぎをし、ドアにむかいかけた。すると、社長が呼びとめた。

「おい、ちょっと待ってくれ」

「はい。なにかまだご用でも……」

「すまんが、わしの耳そうじをしてくれないか。いやかね」

「いえ、喜んでいたします」

「では、たのむ。道具はここにある」

エヌ氏は椅子にかけた社長の横に立ち、身をかがめ、それにとりかかった。断わったりすると、社長はおぼえていて、こっちが忘れたころに、なにかにかこつけて文句を言う。だが、はじめかけると、社長が言った。

「おい、そんなやりかたではいかん。頭のおおいをはずして、やってくれ」

「はあ……」

エヌ氏はドライバーを持ち、やわらかなプラスチック製の部分を、ていねいにはずした。そして、音声受信装置のあたりのゴミを、小型掃除機で吸いとる。

それをやりながら、ぼんやりと考える。子供のころには、よく夢のような話を聞かされたものだった。未来になれば、だれもがロボットを使って、のんきに楽に仕事をするようになるだろうと。輝かしく楽しい未来図だったな。

しかし、現実にはどうだ。まったく無責任な予言で、夢は夢でも逆夢《さかゆめ》になってしまった。こっちはロボットの命令どおり、ただただ、ひたすら働くだけなのだ。社長が言った。

「どうだね。そのへんの部品がひとつ、ぐあいが悪くなっているのではないかな。調子がおかしい。とりかえてくれ。そっとやるんだぞ」

「はい……」

のぞきこむと、社長の内部は精巧だった。小型化された多くの装置がつまっている。それらの作用で、どんな小さなことがらも、いったん記憶されたら消えることがないのだ。

こんないやな社長はない。エヌ氏は、がみがみどなりはしたが、どこか抜けていた人間の前社長のことを、なつかしく思い出した。

いまの社長のこの頭を、なにかをぶつけてたたき割ってやりたかった。しかし、そんなことをしたら大変な罰をくらう。この社長を作るには、巨額な金がかかっているのだ。

大株主たちが集って、こんなものを社長にすえやがった。いつの世でも、高価な品は上から下へと普及してゆくものなのだ。

名　案

ある日のこと、エヌ氏は霊媒のところへ出かけた。霊媒とは、死者の霊と交信できる能力を持った人物のことだ。

べつに、心のなかの大問題を解決すべく出かけたわけではない。毎日があまり平凡なので、なにか変った体験をしてみたかっただけのことなのだ。霊媒は中年のふとった婦人で、エヌ氏を迎えて言った。

「さて、どなたの霊との会話をお望みなのですか」

「そうですな……」

エヌ氏は迷った。あらかじめ考えてこなかったのだ。しばらく頭をひねったあげく、三年前に死んだ、自分の父の霊を呼んでほしいとたのんだ。

霊媒はいいかげんなのが多い。しかし、父親の霊を呼んでもらえば、話しているうちに本物かにせものかの区別もつくだろう。父でなければ、あとで文句をつけ、料金を払わないですむと思ったからだ。

霊媒はおごそかに言った。

「では、そういたしましょう。あなたのお父さまの霊が、わたしに乗り移ります。なんでも好きなことを、お話し下さい」

そして、彼女は熱心に祈りはじめた。目をつぶり手をあわせ、わけのわからない文句をとなえつづける。精神が集中され、やがて少しようすが変ったかと思うと、男の声となってしゃべりはじめた。

「だれだ、おれを呼び出したのは……」

それを聞いて、エヌ氏は驚いた。父の声にまちがいない。本物の霊媒だったようだ。なつかしく思いながら、彼は言った。

「ぼくですよ。あなたの息子です」

「おおそうか。よく忘れずに呼んでくれた。で、そのご、どうしておる」

「はい。お父さんもご存知の、三年前と同じです。あいかわらず、会社の宣伝部につとめています」

「あれから、昇進はしたか。結婚のほうはどうだ。死んでからも、おまえのことが気になってならぬ」

「はあ、たいした働きもしないので、昇進はしません。したがって、給料もあがらず、結婚どころではないのです」

「まったく、おまえは、なさけないやつだな。むかしと少しも変らず……」

と父親の霊はなげいた。エヌ氏はふと思いついて言った。

「なんとか助けてくれませんか。お父さんが生前に言い残し忘れた、へそくりのかくし場所とか、金を貸したままになっている人とか、教えていただけるといいのですが……」

「なにを勝手なことを言う。すぐ、ひとにたよろうとする。おまえはその性格をなおさないと、成功しないぞ。自分で考え、自分で努力することだ。わかったか」

「はあ……」

生前と同じに、がみがみと怒られてしまった。そのうち時間がきて、これで霊との会話は終り、エヌ氏は料金を払って帰った。

しかし、父親の言葉は身にしみた。おやじの言う通りだ。いままでの生活は、いいかげんすぎた。自分で考え自分で努力してこそ成功がある。これからは、心をいれかえねばならぬ。

エヌ氏は考えたあげく、ひとつの思いつきを得た。すばらしいアイデアだった。これがうまくいったら、昇進うたがいなしだ。

彼は会社で、それを上役の宣伝部長に申し出た。霊媒へ行ったことを話したのだ。

「じつは、先日こんなことを経験しました。本物の霊媒のようです。あれを宣伝に利用したらいいと思うのです。つまり、過去の有名な作曲家の霊を呼び出し、わが社のコマーシャル・ソングのメロディーを作らせたらどうでしょう」

「うむ。他社はまだやっていず、たしかに新企画にはちがいないが、わたしにはなんとも見当がつかぬ。社長の指示をあおいでからにしよう」

部長もめんくらい、ひとりではきめかねたらしい。しかし、社長室から戻ってきて、こう言った。

「社長の許可を得てきた。とりかかってみてくれ。金はたくさん使っていいぞ」

「提案が採用され、感激です。で、だれの霊にやらせましょう」

「わたしが企画を説明すると、社長は、史上最大の作曲家はだれかと言った。わたしは、まあベートーベンでしょうと答えた。すると、そいつにたのめだとさ」

「ものすごいことになりましたね。ベートーベン作曲のコマーシャル・ソングだなんて、世界的な話題になるでしょう。では、さっそく依頼してきます。しかし、だれかドイツ語のうまい社員といっしょでないと……」

エヌ氏はドイツ語のできる同僚と、テープレコーダーを持ち、ふたたび霊媒を訪れた。前回と同じように祈りがつづき、やがて男の声のドイツ語が聞こえてきた。

「わたしはルードウィッヒ・ヴァン・ベートーベンだ」

「すごいぞ、本物が出てきたぞ。じつは先生、折り入ってお願いがございまして……」

同僚が切り出すと、ベートーベンの霊は言った。

「なになに、わたしの死後、わたしの偉大さがみとめられたというのか。そうだろう。そうでなければならぬ」

「いえいえ、じつは、わたしどもの社で、先生にひとつ作曲を……」

「ああ、わたしの弦楽四重奏曲が最も好きだというのか。いいことを言ってくれるな」

まるで話がとんちんかん。少しも用件がはかどらず、霊との会話は終ってしまった。

帰りの道で、エヌ氏は同僚と話しあった。

「どうしたというのだろう。わけがわからん。きみのドイツ語が、いいかげんだったのではないのかな」

「いや、そんなことはない。そうだ、もしかしたら……」

「なにか思いついたようだな」

「ああ、ベートーベンは中年ごろから耳が遠くなり、ついにはぜんぜん聞こえなくなった。霊となったあとも、そうなのだろう」

そうとしか考えられなかった。エヌ氏は計画をたてなおし、次回にはほかの作曲家の霊を呼び出すことにした。

しかし、大物はベートーベンの代用品あつかいされるのはいやだと言い、小物はベートーベンに遠慮して引き受けない。

最初にベートーベンなど呼び出さなければよかったと後悔しても、あとの祭り。まったく、芸術家ほどあつかいにくいものはない。

ぼろ家の住人

おれは、テレビ局につとめている。ドキュメンタリー番組の製作が担当だ。他人の目には、はなやかで面白い仕事のようにうつるらしいが、おれには、なにかむなしいような気がしてならない。

苦心して番組を作っても、それは電波となって散り、その場の映像となるだけで、そのままどこへともなく消え去ってしまうのだ。たまには、あとあとまで話題となるものを、作ってみたい。

むなしさをまぎらそうとして、おれは酒を飲んだりトランプをやったりする。それでまた金をむだ使いし、あとにはさらに大きなむなしさが残る。現実に形となって残るのは、ふえてゆく借金ばかり。世の中は太平ムードで好景気というのに、おれだけは例外。少しもぱっとしない。

ある日、おれは街を歩きまわった。番組にのせる、なにかいい題材はないものかと考えながら。

おれは足をとめた。ごみごみと、古くきたない家々が密集している地域だった。しかし、この付近もやがてとりこわされ、近代的な建物の並ぶ街にうまれかわる計画となっている。全般的な好況は、強い力で社会を美しく変えてゆく。

うむ、この経過はいいテーマかもしれぬ。都市が再開発されてゆくのを、具体的にとらえるのだ。しかし、建物だけでは、ドキュメンタリー番組として弱い。効果をあげるためには、人物を登場させねばならない。

適当な住民はいないだろうか。取材にとりかかると、こんなことを教えてくれる人があった。

「そういえば、この一画にずっとむかしから住んでいる、おじいさんがいるはずですよ。あわれな生活をしているとか……」

「それはありがたい。あわれであればあるほど、ぴったりです。で、どこにですか」

「さあ……」

たよりない答えだった。しかしおれはあきらめず、その老人を熱心にさがし歩いた。さんざん聞きまわったあげく、やっとたどりつくことができた。

このへんの建物はどれもぼろだが、そのなかでも最もぼろで最も小さく、建物というより小屋に近い。

「ごめん下さい」

ドア越しに声をかけたが、老人の声はそっけなかった。

「はいらずにお帰り下さい。わしは、どなたとも会いたくない」

なかなか入れてくれない。しかし、そこはテレビ関係者の押しの強さ。おれは、むりやりはいりこんだ。

ひとりの老人がいた。あわれきわまる生活であり、みるからに貧相な老人だ。これは使える。おれは、内心よろこびながら聞いた。同情は視聴者のすることであり、テレビ関係者はまず番組のことを考える。

「身よりのかたはないのですか」

「ない」

「生活保護は受けていますか」

「そんなものは知らん」

「なぜです。なぜ、こんな最低以下の生活に甘んじているのです」

「わしのあわれな姿を、ひとさまに見せたくないからだ。それに、だれかに助けてもらうなど、わしの信条に反する」

老人はしきりにこの言葉をくりかえし、強調した。妙な人生観を持っているやつだ。

会話をしているうちに、この老人だけで番組がひとつできると思った。好景気の世の視聴者というものは、あわれな実話を好む。そのため、おれはずいぶん悲惨な社会現象をさがしてきたのだが、最近はいささかたねぎれの傾向にある。

しかし、この老人なら、好評まちがいなし。典型的な貧乏。貧乏を絵にかいたようだ。貧乏の妖気《ようき》さえ立ちのぼっている。

「どうです。テレビに出てくれませんか」

「なんです、テレビというのは。わしは、だれにも見られたくないのだ。そっとしておいてもらいたいのが、願いだ」

「わかってますよ。まあ、そんなことはご心配なく。謝礼はさしあげます。わたしにおまかせ下さい」

老人はしりごみしたが、その腰をあげさせるのがおれの腕だ。それに、急がねばならぬ。他局がかぎつけたら、好条件で横取りされないとも限らない。

老人がテレビがなにかを知らないのは、つごうがよかった。いまの世に、珍らしい。なんだかんだとごまかし、おどしたりすかしたりし、おれは老人をドキュメンタリー番組に出演させてしまった。もっとも、この家にカメラを持ち込み、ビデオにおさめたというだけのことだが。

それが電波にのると、大変な好評だった。老人が画面に出ただけで、悲しくもあわれなムードがたちこめる。貧しさが、画面のそとへ流れ出てくるようだ。見る人は、忘れかけた貧乏そのものに触れた思いにひたり、現在のしあわせをあらためてかみしめる。なにもかも、予想どおりだった。

あまりに好評で、すぐに再放送がなされた。合計すると、すごい視聴率になる。つまり、ほとんどの家庭の茶の間に、この老人の姿があらわれたことになる。

おれは老人をふたたびおとずれ、謝礼を渡しながら言った。

「おかげさまで好評でした。少額ですがこれをどうぞ」

「いや、お金などいりません」

意外な答えだった。

「なぜです。これで、お好きなものでもお食べになったら、いいじゃありませんか」

「いや、わしは食べる必要がないのじゃ。だから、生活保護なども、いらないのだ」

「なんですって。それでは、まるで人間ではないみたいな……」

この老人、頭がおかしいのじゃないか。だが、返事ははっきりしていた。

「さよう。わしは貧乏神。わしの姿を見た者は、みな貧乏になってしまう。それが気の毒なので、人目をしのんでこんな場所にかくれていたのだが……」

「本当ですか……」

おれは、どこまで信じていいのかわからなかった。おれはいつも借金で苦しみ、すでに貧乏だ。だから、老人が本物の貧乏神なのかどうか、おれにはたしかめようがなかった。

しかし、まもなく世の中に、原因不明の不景気がおとずれた。政府や財界や評論家がいかに首をひねっても、理由はさっぱり判明しない。

わかっているのは、おれだけかもしれない。責任は感じているものの、内心うれしくないこともない。おれの作った番組が、これだけ現実的な形であとに影響を残したのだから。

滞貨一掃

若いころ、私は宇宙で活躍した。探検隊員として、たくさんの星々を調査してまわったのだ。楽しいこともあったし、また、ずいぶん危険な目にもであったものだ。

そして、第一線から引退したいま、オフィスを持ち、宇宙商業コンサルタントと称し、営業をはじめた。もちろん、いいかげんな内容ではない。

私には星々についての多くの経験があり、そのうえ完備した資料と、人材をそろえた研究室を持っている。ここのみごとな実績は、業界でもかなり信用がある。

多くの人がやってきて、あの星からこういうものを輸入したいがどうでしょうか、この星との契約書はどう書くべきかなど、私に質問する。いずれも適切な助言をし、いつも感謝されている。

ある日、スポーツ用品の会社を経営するエヌ氏が、青い顔をしながらやってきた。

「弱りました。なにかいい知恵を貸して下さい」

「ええ、ここは助言をするのが商売です。まあ、事情をひと通りお話し下さい。もっとも、大体の見当はついていますがね」

　私がうながすと、エヌ氏は話しはじめた。

「ご存知のように、少し前わが社は、新しいボールを開発しました。ガラスにむかって、どんなに力をこめて投げても、それを割らないという合成物質のボールです。うまいぐあいにそれが大流行し、わが社は工場を拡張して大増産。しかし、いまや売れ行きがばったり。ストックの山です」

「流行とは、そういうものですよ」

「いかにしても売れず、といって捨てるのも惜しい。どこかの星へ売り込むわけにいかないでしょうか」

「右から左へと、手軽に売れる品目ではありませんな」

「そこを、なんとか助けて下さい。お願いです。手数料はいくらでも払います」

「わかりました。いや、こうなるだろうと思って、あなたのために、あらかじめ準備をしておいたわけですよ」

　こう私が告げると、エヌ氏は急に元気になり、大喜びだった。

「本当ですか。夢のようだ。これでほっとしました。で、どうしたらいいのですか」

「いま、現物にもとづいて説明してあげます……」

私は研究室に連絡し、例のものを持ってこいと言った。それは一匹のヘビだ。毒々しい色をしている。エヌ氏は顔をしかめた。

「気持ちの悪いヘビですね。これが、なにか役に立つのですか」

「そうです。当所の研究員が努力し、品種改良で作りあげたヘビです。繁殖力が強く、どんどんふえます。また、めったなことでは死にません」

「とんでもないものを、お作りになりましたね。こんなのがふえたら、たまったものではありません」

「しかし、このヘビも、おたくの社のボールを食べると、消化器につかえて死ぬのです。それ以外の方法では、退治できません」

「ははあ……」

「地球上にばらまきたいところですが、発覚したら大変なことになります。そこでわたしは、これをひそかにカポン星へ送りこんでおきました。いまごろは数がふえ、カポン星の住民は大さわぎしているでしょう」

「なるほど、うまい方法ですな」

エヌ氏にものみこめてきたらしい。

「運んでゆけば、ストックはみなさばけるはずです。なるべく高く売りつけなさい。

しかし、その利益の半分は、指導料としてわたしにお払い下さい」

「もちろん、さしあげます。ありがとうございました。なんとすばらしい計画でしょう。では、さっそく……」

エヌ氏は大型の貨物宇宙船に品物をつみこみ、飛び立っていった。

やがてエヌ氏は帰還し、私のところへ報告に来た。うれしそうな表情だ。

「なんとお礼を申しあげていいのか、申しぶんない成果でした。連中は、ヘビにさんざん悩まされていました。ですから、わたしの持っていったボールは高く売れ、たちまち在庫一掃です」

「うむ、わたしの予想どおりだ」

「追加注文ももらいましたし、そのうえ、わたしは救世主あつかいです。わたしも長いあいだ事業をやってきましたが、こんなにいい気持ちだったことは、いままでにありません」

エヌ氏は何度も頭を下げ、私に手数料をさし出した。こんなに喜んでもらえ、しかも金がはいるのだから、私も悪い気分ではない。

「いずれにせよ、けっこうでした」

「カポン星では、帰りがけにこんなものをくれました。地球での需要はないでしょうかと、輸出をしたがっているようでした」

エヌ氏の出したものは、ビンにはいった白い粉だった。しかし、眺めただけでは、私にもわからない。

「なんだろう。植物から抽出した成分のようでもあるが、ちょっと見当がつかない。まあ、うちの研究室でゆっくり調べれば、判明するだろう。このサンプルは、あずかっておきますよ」

「ひとつ、よろしく……」

これでエヌ氏の件はかたがついた。

あいかわらず、忙しい日がつづいた。依頼を受け、調査し、作戦をねり、助言をし、謝礼をとるという仕事のくりかえしだ。

しばらくすると、地球にちょっとした災害がおこった。妙なノミがふえはじめたのだ。いかなる薬剤にも平気なノミなのだ。

そのうち、私もそのノミにとりつかれた。生命に別条はないのだが、ノミにかまれると、かゆくてかゆくてたまらない。仕事どころではないのだ。しかも、市販されている薬では死なないノミなのだから、しまつが悪い。

困ったあげく、私はなにげなく、エヌ氏がカポン星から持ち帰った白い粉をふりかけてみた。あまり期待はしなかった。研究室でさまざまな試験をしたが、これまで、なんの利用法も発見できなかったからだ。

それが、なんと、予期に反し、ノミはたちまちのうちに死んでしまうではないか。偶然の一致と片づけることもできる。だが私には、カポン星の住民が、帰りがけのエヌ氏にくっつけ、問題のノミを送りこんだのではないかと思えてならない。

それが検疫《けんえき》をくぐりぬけ、地球でかくのごとくふえたのだ。そして、私にはどうもカポン星にはあの白い粉のストックが、どうしようもないほど大量にあるように思えてならないのだ。宇宙は広いのだから、同じようなことを思いつくやつは、どこかにいるにきまっている。

あるロマンス

エヌ氏は会社員だった。才能がきらめいているといったタイプではなく、気の小さいまじめな男で、入社以来ずっと、まともにつとめてきた。そろそろ中年になる。すでに妻子があり、会社ではまあまあという地位にあった。

彼は通勤の途中で、時どき考える。

「おれは今まで、これといって、派手な経験をしたことがない。おそらく、これからもずっと、そんな日常がつづくのだろう。ロマンスなどには、縁のない男なのだ。なんだかつまらないような気もするが、あるいは、これでいいのかもしれない。おれのような性格の男が、へたに派手なことに巻きこまれると、ろくな結果にはならないだろう……」

しかし、ある日、その予想もしなかったことが、彼をおとずれた。

ことの起りは、こうだった。エヌ氏が喫茶店から出ようとした時、レジの前でひとりの女客が困っていたのだ。

「どうかなさったのですか」

と聞くと、彼女は泣きそうな表情で言った。

「のどがかわいたので、お茶を飲みにはいったのですけど、お勘定をしようとして、財布を忘れてきたことに気がついたんですの」

「それはお困りでしょう。紅茶を一杯お飲みになったのですね。失礼ですが、わたしが払ってさしあげます」

「なんとお礼を申しあげたものか、おかげで助かりましたわ。いずれ、おかえしにうかがいますから、おつとめ先とお名前とを……」

「いいえ、いいんですよ……」

と言いながらも、エヌ氏はいちおう教えた。このまま二度と会えないのも、なんとなく残念なような気がしたのだ。

三日ほどたつと、その女性が会社にたずねてきた。かくして、交際が開始された。二十五歳ぐらい。美人だった。言葉づかいも上品で、服装にも崩れたところがなかった。化粧もあっさりとしていて、水商売の人ではないようだった。

彼女は、先日のお礼に夕食をおごりたいと言う。エヌ氏はどぎまぎした。感謝の気持ちはありがたいが、それでは大げさすぎる。といって、こんなすてきな女性を、すげなく帰す気にもなれない。

こっちがおごるのも、変なものだ。考えたあげく、支払いは折半にしましょうと提案し、女は承知した。少しやぼだったかなとエヌ氏は思ったが、彼女はそれを気にするそぶりを示さなかった。

夕食をともにしたが、味などわからなかった。バラ色の雲に乗っているような、夢を見ているような、ひとときだった。どんなことを話したのか、まるでおぼえていない。エヌ氏が少し落ち着いたのは、つぎの日に出社し、しばらくしてからだった。

二日ほどおいて、また食事をさそいに来た。もちろん、断わるどころではない。エヌ氏はついていった。彼女は酒を飲み、魅力的な目で、じっと見つめるのだった。

なぜ彼女が、自分にこんなに好意を示すのだろう。もっと若くて気がきいていて、スマートな男性だって、いっぱいいるではないか。彼は少し疑念を持った。手ばなしで悦に入るほどの、自信家ではなかったのだ。

もしかしたら、これは今はやりの、産業スパイというものかもしれぬ。その、わなかもしれないのだ。喫茶店での出会いも、うまくできすぎているような気がしないでもない。

そうとしたら、大いに警戒しなければならない。エヌ氏は彼女の幻をふり払い、冷静になろうと努めた。そして、冷静に考えると、彼の会社にはそう機密らしいものもなく、あったとしても、自分はそれを知るほどの地位にないことに気づいた。変に気をまわした自分が、情けなくなってきた。

あいかわらず彼女は、エヌ氏にさそいの電話をかけてきて、デイトがつづけられた。楽しいことは楽しいのだが、依然として彼は自信を持てなかった。

こんなに自分がもてるわけがない。信じられないことだ。他社のわなでなければ、当社の重役たちが考え出した、一種の社員試験かもしれない。女に甘い人物かどうかを調べ、昇進の参考資料とするのだ。

しかし、それとなく同僚に聞いてみたが、だれもそんな経験をしていない。また、そんな気のきいたことを思いつきそうな重役も、いなかった。

エヌ氏はさらに考えた。これは、犯罪に関係があるのかもしれない。見たところは上品そうな女性だが、たちの悪い男がうしろについていないとも限らない。深入りしたところをみはからって、男があらわれ、恐喝《きょうかつ》をするという筋書きだってありうる。金が払えなければ、盗みの手引きをしろと迫られるのだ。なにかの小説で読んだような気もする。

いや、あの女性が、そんなことをするわけがない、と、エヌ氏は彼女の愛を信じようとして、打ち消そうと努めたりもする。燃えあがる感情と疑惑との板ばさみになり、彼は苦しんだ。そのあげく、ある日、ひそかに女のあとをつけてみた。どこに住み、どんな生活をしているか調べたのだ。

べつに問題はなかった。彼女はきちんとした生活をしており、近所の評判もよく、変な男との交際もないらしい。

もはや疑惑はまったく消え、エヌ氏は喜んだ。彼女は自分を、本当に好きなのだろう。そうとしか考えられない。信じていいのだ。

つぎに会った時、エヌ氏は思いきって切り出した。

「こんどの休日に、二人で旅行にでも行きませんか」

「だけど、奥さまに悪いわ……」

「そんなこと、どうでもいいことですよ。ぼくは、あなたを好きになった。心から愛している。こんな気持ちになったのは、はじめてです……」

エヌ氏は必死にささやいた。しかし、彼女の答えは、意外だった。

「でも、あたしはべつに、あなたを好きでもないの」

変な情勢になった。エヌ氏は、しどろもどろの口調で言った。

「そ、それなら、なぜきょうまで交際を……」

「これがあたしのお仕事。依頼主のためにしたことですわ」

「それはだれなのです。こんな変なことを、あなたにたのんだのは」

「あなたの奥さまですわ。あたしの職業は、亭主の愛情および浮気する可能性の調査業。ほうぼうの奥さまにたのまれ、けっこうはんじょうしておりますの。時代の最先端のビジネスじゃないかしら……」

呆然《ぼうぜん》としているエヌ氏の前から、女はすばやく立ち去っていた。やはりわなだったが、いちばんひどいわなだ。どうせ、いい報告はしてくれないだろう。やれやれ、こんな商売まで出現するとは……。

あすは休日

二〇二七年のある朝。エヌ氏は自分の部屋のベッドの上で、気持ちよさそうに眠っていた。

壁の時計が七時をさすと、それと連動している目ざまし装置が動き、テープの女性の声が再生された。

〈もしもし、もうおめざめの時刻でございます。きょうは、おつとめの日でございますわ。さあ……〉

エヌ氏がとくに選んで買ってきたテープだ。やさしく魅力的で、なんともいえない、いい声だ。買ってからしばらくは、彼も朝おきるのが楽しみだった。しかし、もはやなれて、なんとも感じない。こんなことでは目がさめないのだ。

エヌ氏が起きないのでテープの音はやみ、こんどはベルの音がはじまった。最初は弱く、しだいに強くなる。しかし、エヌ氏は毛布をかぶり、音をさえぎった。それからねぼけ声でつぶやいた。

「ほっといてくれ。おれは、ねむいんだ……」

めざまし装置は、つぎの動きに移った。ベッドをゆらせたのだ。ゆれが激しくなると、エヌ氏は自分からころがり落ちた。床の上なら、ゆり動かされなくてすむ。

しかし、装置はあくまで任務をつくす。レーダーでねらいをつけ、エヌ氏の鼻めがけて、刺激臭を吹きつける。たまらないにおいだが、ねむいエヌ氏は、まだがまんしている。

つぎには、つめたいものが、からだにかけられた。揮発性の強い液体で、熱をうばい、ぞくっとさせる。

エヌ氏はあきらめ、いやいや起きあがった。これで起きないと電気的ショックがおそってくる。このへんで、あきらめたほうがいいのだ。

エヌ氏は立ってベッドに戻り、朝食のボタンを押した。壁の一部が開き、簡単な朝食ののった皿と、コーヒーとジュースとが出てくる。彼はベッドの上でそれを食べた。食べ終ると、皿のはしにのっている錠剤を口に入れ、ジュースとともに飲む。

それから歯をみがき、ひげをそり、髪をととのえ、服を着て出勤。ベルト道路を乗りかえながら、会社にむかう。途中で知人といっしょになる。

「おたがいに、いつまでも昇進しませんな。あくせく働くばかりで」

「まったく……」

ありふれた会話をしているうちに、会社につく。入口の壁の、大きなボタンを指で押す。カチリと小さな音がする。エヌ氏の指紋が識別され、タイムレコーダーによって出勤が記録されたのだ。

席についたとたん、課長がやってきて、書類をどさりと机の上にのせる。

「これを整理して、なんとか片づけてしまってくれ」

「はあ……」

書類の厚さを見て、がっかりする。処理するのは容易ではない。だが仕方ない。つとめているからには、働かなくてはならないのだ。

書類のなかにわからない部分があり、べつの課に聞きにゆく。電話でもすむのだが、机からはなれて自分で出かけてゆくのは、気分転換にもなるのだ。

廊下で部長にあう。部長に注意される。

「おい、その服装はなんだ」

「はあ……」

「服のボタンを、よくみがいておけ。胸のバッジが、少しゆがんでいる」

「申しわけありません」

「社員はつねに、きちんとした身なりをしていなければならぬ……」

がみがみ言われてから、やっと許される。

自分の机に戻る。外部から電話で問い合わせがある。やっかいな事項で、調べるのにけっこう時間がかかる。

重役から呼び出される。いいことかと期待しながら重役室に行くと、以前に提出した書類の数字について、さんざん怒られる。なんとか説明し、それが誤解であることを、やっとわかってもらう。重役もそれをみとめる。

「なるほど、こっちの勘ちがいだった。もういい」

ひどい目にあった。ぶつぶつ言いながら、エヌ氏は机に戻る。そのうち退社時間となる。またベルト道路で帰宅する。

「やれやれ、疲れた」

つぶやきながら外出着をきかえて、ベッドの上に横たわる……。

エヌ氏はここで、われにかえった。朝ベッドの上で食事後に飲んだ薬の、作用が終ったのだ。

出勤から帰宅までのことは、その薬品がもたらした幻覚だったのだ。すなわち、エヌ氏はずっとベッドの上で、それを見つづけていたというわけだ。

この薬は開発されて以来、改良に改良が重ねられてきた。幻覚といっても、ぼんやりしたものではない。細部までリアルで、現実そのものといっていいほどだ。しかも、あとまでその記憶が残るのだ。

この時代、エヌ氏ばかりでなく、だれもがこの薬を飲んでいる。錠剤は一種類でなく、出勤の業種の幻覚にはいろいろなのがあるが、まあ似たりよったりの内容だ。

なぜ本人がつとめに出ず、このようなものを飲むようになったのか。理由は簡単、すべての仕事がオートメーション化し、人間の働く部分が、まるでなくなってしまったからだ。

しかし、人間とは、なにかをせずにはいられないものだ。遊べばいいといっても、長い長い時間を、たえまなく遊びつづけられるものではない。

そこで、この薬が作られた。勤労感を味わうのは、いいことだ。生きている責務を果したような気分になり、生きているとの実感や自信を持てる。遊びつづけると人間ばかになるが、それを防ぐこともできるのだ。

まあ、そんなむずかしい理屈はどうでもいい。最大の効果は、休日が楽しくなる点だ。

休日、なんと楽しい響きではないか。人生にちらばる、美しい星々か珠玉のようだ。輝きにみち、充実し、のんびりと自由で、どこか物たりなく、ほろにがさもあり、夕刻になるとちょっぴり悲哀もある。

こんな人間的な感覚がほかにあろうか。人生とは、休日で織りなされるべきものなのだ。

人間から休日を取ったら、なにが残る。あくまで、まもらなければならない。そのためには、ほかの日々に薬を飲んで、勤労感を味わわなければならないのだ。

あしたは、そのすばらしい休日なのだ。どう過ごそうかなとあれこれ考え、エヌ氏はうれしそうな表情になった。

盗賊会社

私は盗賊株式会社の社員。名称から察して、泥棒ごっこのオモチャかなにかの製造販売でもする会社かと、むりに好意的に考えてくれる人があるかもしれない。いや、遠慮はいらない。泥棒そのものが営業なのだ。

そんな仕事があったのかと、表面は顔をしかめ、内心ではうらやましがる人が多いのではないかな。ぬるま湯にひたったような、平凡な日常にあきあきしている人ならば……。

朝、私は時間どおりに家を出る。不規則な出勤をすると、近所の人に怪しまれる原因となる。この点は、きびしく言い渡されているのだ。

また、服装は地味で、ちゃんとしたものであることも要求されている。いかに暑い日でも、派手なシャツなど、もってのほかだ。サングラスをかけたら、さんざん怒られてしまう。言葉づかいも同様、少しどもるぐらいの、まじめさがないといけないのだ。これまた、しょっちゅう注意される。

ようするに、だれに見られても善良な市民でなくてはならない。警官に目をつけられるような姿では、いけないのだ。

会社へつく。社員はほぼ百人。多すぎると感じる人もあるだろうが、多いほうがいいのだ。

企画部の者は、さまざまな立案を前にし会議をやっている。社長も列席している。若い連中の発言は、みな元気がいい。

「どうでしょう。宝石商を襲撃するのは」

「倉庫の資材をごそっと運び出すのも、利益が大きいと考えますが」

「ロールスロイスの乗り逃げなども、よろしいかと存じます」

いろいろと活発な意見が出るが、そのたぐいを社長はめったに採用しない。

「そんな典型的なことはいかん。たとえ成功しても大さわぎとなり、今後の活動に支障をきたす。少量ずつでも数をこなし、安全確実を第一とするのが、わが社の方針だ……」

そのあげく、案がねりなおされる。そして、たいていの場合、愛人の住居に出かける金持ちの、財布を奪うといったことに落ち着くのだ。今回もそうきまった。

社長の決定にもとづき、くわしい実行計画がたてられる。社には、どこのだれはどここに愛人をかこっており、何時にどの道を通って出かける、といった資料がそろっている。そのなかから、適当なのを選び出すのだ。

そんな資料があるのなら、恐喝《きょうかつ》のほうがいいと考える人もあるだろう。たしかに手っとり早いが、つかまる危険もまた多い。わが社は、そんなばかなことはしないのだ。

計画が立てられると、技術陣が動員される。まず、メーキャップ係。その手にかかると、顔など別人のごとく変えられてしまう。

また、スリのベテランが二名。彼らの腕はなかなかみごとで、重役でもある。

あとは、われわれ一般社員。それぞれの役割と配置とを告げられ、練習をさせられる。私はたいていの場合「わあ、大変だ」と叫んで、かけ出す役。単純な仕事だ。

いよいよ実行。偵察係が小型無線機を持って目標の人物を追い、その動きをみなに知らせる。犯行は原則として、大通りでおこなわれる。そのほうがいいのだ。

よしとなると、わが社員の運転する自動車が、目標の人物のそばで小さな事故をおこす。大きなパンクの音をさせる程度でいい。

だれでも驚く。その瞬間をねらって、スリ係が財布を盗むのだ。スリ係が二名いるのは、正副二名といったところで、一人は補欠というわけ。不測の事態の時、すぐ代って行動する。

たいていうまくゆくし、いままで、ほとんど成功している。しかし、気づかれる可能性だってある。そのそなえがあるからこそ、盗賊会社なのだ。しろうととはちがう。なにしろ、目標の人物のそばをなにげなく歩いている三十人ほどは、みな、われわれの会社の者なのだ。被害者が叫び声をあげると、

「どうなさったのです」

「なんですか、だいじょうぶですか」

などと口々に言って寄ってゆく。追いかけにくくするためだ。

一方、近所の赤電話にとりついているのも、わが社の社員だ。警察へ電話するのをさまたげるためだ。そばの店で買い物をしているのも同様、店員が外に出ないよう引きとめる。

耳の遠い男となって、交番で大声で道を聞いているのもそうだ。道ばたでビラくばりをやっているのがそうである場合もある。また適当な時機をみて私が、少しはなれた場所で、

「わあ、大変だ」

と叫んでかけ出す。おせっかいな人が追ってきて聞くかもしれない。その時は、

「デイトの約束を忘れたのです」

と答えるのだ。さらに万一の場合にそなえて、急に卒倒する役の女子社員もいる。こんな万全の準備のなかでやるのだから、失敗することはない。これだけの人数で証言すれば、どうにでもなる。

かくして、成功率は百パーセント。絶対に安全なのだ。被害者だって警察だって、ひとつの財布を百人がかりで狙《ねら》うとは考えもしない。それに、あらかじめ調査し、生活にかかわるような金は奪わないから、新聞やテレビで社会の怒りを買うこともないのだ。

だから私たちは、逮捕されて有罪になる心配など、一度もしたことがない。

まあ、こういった平穏な毎日なのだ。月末になると給料日。わけ前がもらえる。税金はないが、社員積立金だの、保険料だの、なんだのが引かれ、手取りの金額となるとたいしたことはない。

いつだったか社員が組合を作り、昇給の要求をしたことがある。だが、経営者側の返事はこうだった。

「世の中が不景気で、入金が伸びないのだ。大物を狙えばいいのかもしれないが、それには危険がともなう。万全の上にも万全を期すのが、社の方針だ。発覚して社がつぶれ、きみたちが路頭に迷ってもいいのなら、やらないこともないがね」

われわれだって、失業はごめんだ。公開された経理を調べたが、たしかに入金は伸びていず、重役に不正もない。これではどうしようもない。

帰りがけに、私はバーで酒を飲んだ。だが上司の命令で、むちゃな遊びは許されていない。へべれけに酔って、つまらんことを口走るといけないからだ。私はビール一本でやめ、家に帰ってテレビを見て寝る。

私は最近、会社の仕事がいやになった。あまりに平凡で退屈で、面白くない。転職を考えている。どこかいいつとめ先はないだろうか。あなたの会社など、私のいまの会社よりは、まだ面白いのではないかと思うのだが……。

殺され屋

「やい、このまぬけやろう。おまえのようなやつは、歯がぜんぶ抜けたおいぼれ犬だ。いや、その犬にも劣る。のろまでのろまで、カメよりもおそいネズミだ。本当のところは発育不良のミミズとでもいったところだな……」

おれはエヌ氏にむかって、さんざん悪口を言った。ここはある会合の席であり、そばに何人もいる。エヌ氏は満座のなかであざけられ、こわばった表情でうなった。

「うむ……」

「いやいや、ミミズほども、上等なものじゃない。毛のぬけた毛虫、塩でとけかけたナメクジ……」

おれは、なおもつづけた。ぽんぽん悪口を言うのは、なかなか面白いものだ。

同席の人たちは、なんとか仲裁にはいらなければと思っているらしいが、みな、そんなことにはなれていないようすだった。また、おれも他人に口をはさむきっかけを与えないよう、あいだをおかずに言いつづけた。

やっとのことで、エヌ氏は言った。

「うぬ。おとなしくしているのをいいことに、勝手なことばかり言う。ただではおかないぞ」

「これはお笑いだ。おまえなんか、ただの価値さえない人間だ。ただ以下だ。捨て賃でもつけなければならぬ、くずのようなもんだ。いったい、おれをどうしようってんだ」

おれは舌を出し、大笑いをし、さんざん言ってやった。エヌ氏は赤くなり、どもりながら叫んだ。

「こ、殺してやるぞ」

「これまたお笑いだ。殺すなんて、おまえにそんな気のきいたことができるもんか」

「き、きっと殺してやるぞ。かならず殺してやるからな」

「あはは、うまくいったら、おなぐさみだ」

「おぼえていろ……」

エヌ氏は吐き出すように言い、どこかに行ってしまった。残った人たちはおれに言った。

「どんないきさつで口論になったのかは知りませんが、ちょっとお口が過ぎたようですよ。なんだか心配です」

「なにが心配なのです」

「あなた、本当に殺されるかもしれませんよ。いまの帰りがけの、彼の顔を見ましたか。ただならぬ、思いつめた表情がありましたよ。お気をつけたほうがいい。夜のひとり歩きなど、しばらくおやめになるんですね」

「なに、だいじょうぶですよ。殺せるものなら、やってごらんなさいです。あはは……」

おれの口調がにくにくしいので、その人はちょっといやな顔をした。

しかし、世の中は、おせっかいな人が多い。二日ほどして、おれに知らせに来た人もあった。エヌ氏が興奮しているというのだ。

「なんとかなさったほうが、いいでしょう。あなたにとどめをさすとか言って、刃物を買ったようですよ」

「で、どうしろとおっしゃるのです」

「早いとこ今のうちにあやまるか、それがいやなら、相手の気の静まるまで身をかくすとか、警察に保護をたのむとかすべきでしょう。そなえあれば憂《うれ》いなし、とか申しますよ」

「平気、平気。あんなくだらぬやつから逃げかくれしては、自分が恥ずかしくなってしまいますよ。あいつが刃物を振りまわしたって、大根も切れない……」

「じゃあ、お好きなように」

親切に忠告してくれる人も、おれの平然さに腹を立てて、いいかげんでやめてしまう。内心では、おれの殺されるのを期待する気持ちになったかもしれない。

そして、やがて問題の日となった。ついに、がまんしきれなくなったのだろう。エヌ氏が夕ぐれ時、おれの自宅にのりこんできた。うす暗いなかの人影にむかって、彼はどなる。

「やい、覚悟しろ」

しかし、その人影はおれではない。おれはケイ氏に留守番をたのみ、外出中だったのだ。そんなことを知らないエヌ氏は、刃物を振りまわし、ケイ氏に切りかかった。ケイ氏は身をかわし、組み打ちとなり、なんとか刃物を奪いとり、エヌ氏の胸を突きさした。

思わぬ事態。ケイ氏はすぐに救急車を呼び、さらに警察へも電話した。だが、救急車がかけつけてきた時には、もはや手おくれ。さされたのが急所で、エヌ氏は出血多量で死んでしまった。

やってきた刑事たちに、ケイ氏は言った。

「わけがわかりません。飢えたオオカミとは、あんなのをいうんですかね。不意に刃物がきらめいた。わたしは身を守るために、もう、むがむちゅうで……」

目撃した近所の人も、そう証言した。もちろん、外出から帰ったおれも取り調べられた。この惨事の原因がおれにあることは、しだいに明らかになってきた。おれがエヌ氏にあんなひどいことを言いさえしなければ、なにも起らなかったはずなのだ。

しかし、悪口を言ってはいけない法もなく、おれはべつに処罰されなかった。ケイ氏もまた同様だった。対抗しなかったら、自分が殺される。正当防衛の行為なのだ。

おれもケイ氏も、エヌ氏の墓前にいくらかの香典をそなえた。哀悼の意は表すべきだ。これで事件は一段落といえた。

ひとわたり終ってから、ある夜ケイ氏がひそかにおれをたずねてきた。そして言った。

「なにもかも、うまくいった。もっとも、わたしも身をかわし刃物をもぎとる修業をやりはしたがね。すべて、きみの計画どおりだ」

彼はうれしそうな顔であり、おれはいささかとくいだった。

「それはそうですよ。わたしが頭をひねって考え出した新商売。殺され屋というわけですから。こんなしかけになっていたとは、だれも気がつかないでしょう」

「これですがすがしい気分になれた。まったくあのエヌ氏のやつは、とんでもない悪党だったからな。わたしの過去のスキャンダルをたねに、なんだかんだと金をゆすりつづけてきた。もうずいぶん払ったのに……」

思い出すとくやしくてならないという口調だった。おれは言った。

「まあ、もういいじゃありませんか。二度とやってこないんですから」

「ああ、ほっとしたよ。あいつにこれ以上つきまとわれたら、わたしの一生はめちゃめちゃになるところだった。しかし、これで完全な終止符。ありがとう。これは約束のお礼だ」

厚い札束がおれの手に渡された。

「なにも、そう感謝なさることはありませんよ。こっちは、これが営業なんですから。それより、だれかを殺したがっている、あなたのようなお客さまはいませんかね。実績はおわかりでしょう。いたら紹介をお願いしますよ」

あわれな星

どこからともなくやってきた円盤状の物体が、地球の上空に静止した。まっ黒な色をしており、夜になると、むらさき色の光を発し、ぶきみな印象を与える。

それを見あげた人びとは、いやな予感に襲われた。そして数日たつと、その予感は現実のものとなった。円盤からメッセージがおくられてきたのだ。

〈地球という星の住民よ。われわれはおまえたちの電波を分析し、言葉を知った。そのため、かくのごとく話しかけることができるのだ……〉

みなが耳を傾けるなかで、それはつづいた。

〈……われわれはこの星を植民地とし、おまえらを徹底的にこき使うことにきめた。いやだと言ったら、武力で従わせる。こっちの実力を見せてやろう〉

円盤からミサイルが発射された。それは海上の小さな島に命中し、島は一瞬のうちに消滅した。見ている者は身ぶるいした。あんなのが都会に落ちたら、どうしようもない。

〈もう一発おみまいする。おまえらの手で防げるものかどうか、なんなら、ためしてみたらいい〉

それはいかなる方法をもってしても防げず、さらに島がもうひとつ消滅した。

〈どうだ、われわれの力が、これでわかったことと思う。しかし、即答を求めてもすぐにはきめかねることだろうから、われわれは一応ひきあげ、半年後にまた来る。それまでに、態度をきめておいてもらいたい〉

円盤は、空のかなたへと去っていった。それを呆然《ぼうぜん》と見送りながら、みなは、ため息をついて話しあった。

「ああ、なんということだ。やっと世界が平和になりかかったと思ったら、こんどはこれだ。不運としか言いようがない」

「天災なら、あとで立ちなおることもできよう。だが、これはそうではない。戦えば、みな殺しにされる。といって降伏すれば、永久にやつらに支配され、こき使われる。苦しみは限りなくつづくのだ。どっちにしろ、人類の運命もこれで終りのようだな」

なげいたり、ぐちをこぼしたり、くやしがったりしても、名案は出てこなかった。元気のいい議論は、ほとんどなかった。武器の強力さを見せつけられては、しりごみもしたくなる。

猶予《ゆうよ》は半年間しかないのだ。そのあいだに、なにができよう。全地球の科学技術を総動員してみても、やつらを撃退する兵器は開発できそうにない。まして、量産して防御態勢を作りあげることは、とても不可能だ。だからといって、相手のむちゃくちゃな要求に従うのもいやだ。どれい状態で、なんの希望もなく生きつづけなくてはならないのだ。

人類は万策つき、わらにもすがる気持ちで、星々にむけて電波を出した。

〈どなたでもいい。助けてください。あわれな地球という星は、いま暴力でおどされ、ひどい目にあわされかけております。こんなことが許されていいのでしょうか。宇宙に正義はないのでしょうか……〉

はたしてききめがあるものかどうか、それはわからなかった。また、あの黒い円盤の連中が傍受し、怒って戻ってこないともいえなかった。しかし、ほかに手段はなかったのだ。

不安のなかで、月日は流れていった。いてもたってもいられない気分で、五カ月がむなしく過ぎた。みなはあきらめ、覚悟をきめかけた。

しかし、祈りはかなえられた。銀色をした宇宙船が地球を訪れてきて、なかからおりたった宇宙人が言った。上品で、知的で、同情にあふれる口調だった。

「わたしはシラ星の者です。なにかお困りのようすなので、出かけてきました」

「それは、ご親切に。じつは……」

事情を話すと、シラ星人はうなずいて言った。

「やはりそうでしたか。さぞお困りでしょう。あの連中は、じつに凶悪です。他の星を支配するか、破壊するか、それしか知らないやつらのようです。以前、わたしたちの星にも攻めてきました。しかし、さいわい、わたしたちの星の科学力のほうがまさり、なんとか撃退することができました」

「それはそれは。ぜひ、お力を貸してください。ご指導をお願いします。どんな礼でもいたしますから」

「もちろん、お手伝いしましょう。そのために、やってきたのです。困った時は、おたがいさま。だまっているわけにはいきません」

地球の者は涙を流して感謝した。

「ああ、なんとありがたいことでしょう。あなたは救いの神です。で、どうすればいいのですか」

シラ星人は、宇宙船のなかから、複雑そうな装置を運び出した。

「この特殊電波発生装置を使えばいいのです。これを使えば、やつらのミサイルは爆発しません。ミサイルばかりか、連中の武器はすべて不発。あきらめて逃げ帰るはずです。やつらから捕獲したミサイルがありますから、それを使って使用法をお教えしましょう」

すぐに実験がなされた。説明の通り、先日はあんなにすごかったミサイルも爆発しなかった。みなは感心した。

「なんとすばらしい防御兵器でしょう。これがあれば、地球での戦争も永遠になくなる。ぜひ、ゆずってください」

「そのつもりで、五十台ほど持ってきました。これだけあれば、絶対にだいじょうぶです」

取引きは成立した。五十台の装置は地球の各地に配置された。その代価として、地球の美術品が大量に渡された。惜しいとか言っている場合ではない。ほっといたら、人類がほろびてしまうのだ。破滅に至らないですむと思えば、安いものだ。

「では、わたしはこれで。装置は精巧で微妙ですから、あまりいじったりなさらないように。いざという時に故障では、たいへんなことになりますから……」

シラ星人は帰っていった。

そして、問題の期限が来た。全地球は緊張して待ちかまえていた。しかし、いつまで待っても、黒い円盤はやってこない。

緊張がゆるむと、だれかが疑念を抱きはじめた。そして、装置をそっと分解してみると、なかはからっぽ。

どうやら、やつらはぐるだったようだ。文明が進めば、武力による征服や支配など、手数のかかることをやるはずはない。どうせやるなら、もっと楽で知能的なことを……。

やつらは、いまごろこう笑いあっているにちがいない。

「こんな初歩的な手にひっかかるとは、地球とかいう星もあわれなものだな」

やっかいな装置

ある日のこと、ひとつの物体が宇宙から飛来し、地球の上へと着陸した。

人びとはほどよい距離でとりまき、観察した。あんまり近よっては危険かもしれないし、あんまり遠くではよく見きわめられない。

「いまに、なかから宇宙人が出てくるんでしょうね」

とだれかが言った。多くの人がそう考えていた。しかし、いくら待っても、なにも出てこない。

望遠鏡でよく眺めると、その物体はほぼ球形をしていて、直径は約十メートル。窓やドアらしいものはついていない。特徴といえば、一カ所から短い煙突といった感じのパイプがつき出ている点だ。

「いったい、あの筒状のものはなんなのでしょうか」

「さあ、わかりませんな……」

しかし、やがてそのパイプが、作用を示しはじめた。そこから、一種の音が響きはじめたのだ。それがじつにいやな音で、不協和音とでもいうのか、ガラスをナイフでひっかくような音だ。聞いていると、いらいらしてくる。

そのうち、パイプから出てくるのは、音だけでないことがわかった。においもそこから流れ出てくる。これまたいやなにおいで、内臓がむずかゆくなり、吐き気をもよおしてくる。

輪になってとりまいていた人びとは、少し遠くにしりぞいた。両耳と鼻とをふさぎつづけているわけにもいかない。

「とんでもないしろものだ。なぜ、こんなものが地球に送られてきたのだろう」

「わからん、そんなせんさくをするより、音とにおいを防ぐほうが先決だ」

いわれるまでもなく、各分野の専門家たちが協力し、物体ととりくみはじめていた。防臭防音服に身をかため、警戒しながら近づいたのだ。

まず、内部に乗りこんでいるかもしれない相手に対し、連絡をとろうとした。しかし、なんの反応もなかった。生物はなかに乗っていないらしい。

交渉相手がないとなると、音とにおいをまきちらしているパイプを、こっちの手でふさがなければならぬ。コルクやゴムやプラスチックで、その穴をふさごうとした。

しかし、それは不可能だった。なにかをつめこんでも、すぐはじきとばされる。穴をふさぐのは無理なようだった。

それならばと、思いきって物体を破壊する方針がとられた。だが、どんな硬いドリルも受けつけなかった。また、いかなる爆薬を用いてもだめだった。よほど丈夫な金属でできているらしい。パイプの穴から爆薬をほうりこもうとしてみたが、はじき出されてだめだった。

地面に穴を掘って、埋めようという試みもなされた。だが、つぎの日になると、地上へ出てきてしまう。海に沈めることもなされた。だが、ころがりながら、もとの場所へ戻ってきてしまうのだ。人類の文化では、たちうちできない、一段うえの高度な性能をそなえている。

そして、依然として、いやな音とにおいをまきちらす。また、被害もひろがっていった。

「音がだんだん大きくなってくる」

「それに、においも強くなる。逃げましょう」

すなわち、人びとは物体からさらに遠くへ避難しなければならなくなった。周辺の居住不能の地帯が、しだいに広くなってゆくのだ。この調子だと、人びとは限りなく追いたてられてしまうだろう。一刻も早く、物体の穴をふさがなければならない。

関係者は、あせりながら各種の実験をつづけていた。ガラス製のふたをはめようとしてもだめ、鋼鉄製でもだめ、ついにやけになり、黄金製のもので穴をふさいでみた。そのとたん、いままでの例だとはじき出されるはずだったが、今回はパイプのなかへとはいっていった。そして、みなを悩ませていた音とにおいはとまった。

「なんとかおさまったようですな」

「いずれにせよ、これでほっとしました」

しかし、安心できたのは、わずかの期間だけだった。一週間ほどすると、また音とにおいが出はじめる。試みに黄金をほうりこんでみると、しばらくとまる。だが、一週間後には再開されるのだ。

「これはひどい。黄金を食べつづける装置とは……」

「むちゃくちゃだ。なんで、こんな目にあわなければならないのだ。われわれ地球が宇宙に対して、どんな悪いことをしたというのだ。理不尽きわまる」

「これだけの装置を作ったやつだ。まちがえて送りつけたのではあるまい。地球の財産をねらってのしわざに、ちがいない」

「ついに、たちの悪いギャングに、とりつかれてしまったわけか。この強奪は、いつまでつづくのだろう」

だれもが腹を立て、文句を言った。しかし、どうしようもない。物体はいすわり、いやな音とにおいをとめるには、金を定期的にほうりこまなければならない。

やがては怒る気力もなくなった。みなは泣き泣き、金をパイプに入れつづけるのだった。

かくして、一年がすぎた。ある日、物体がかすかにふるえはじめた。飛び立とうとするかのように。そばにいた関係者のひとりは、それに気がついて、ペンキの筆をつかみ、急いで物体の外側に書きしるした。

〈どこの星からだか知らないが、なんでこんなひどい装置を送りこんだのです。おかげで、地球は大変な迷惑を受けました〉

相手に通じるかどうかはべつとして、これぐらいは伝えなければ気がすまない。これが高度の文明を持った星のすることか。

物体は離陸し、どこへともなく飛び去っていった。だれもがやれやれと思った。これで、まあ当分はやってこないだろう。

しかし、それもつかのま、物体はまたもやってきた。なかの黄金をどこかに運び、ふたたび戻ってきたという感じだった。いやな音とにおいとが、パイプから流れはじめた。

絶望的な表情で、人びとは着陸した物体をながめた。注意してみると、外側になにか書いてある。回答の文だった。

〈ひどい物体などと文句をつけるとは、なにごとであるか。おまえたち地球も、宇宙へ進出しはじめたではないか。一人前の文明に成長したと、みとめられる。ということは、宇宙への義務もはたさねばならぬのだ。すなわち、税金の負担を意味する。これは徴税装置だ。今後はそれを理解し、喜んで進んで支払ってもらいたい。宇宙連合税金徴集本部・第二五四地区空間分署〉

程度の問題

任務の重大さを感じながら、エヌ氏はある国の首都に到着した。スパイとしてだ。子供のころからあこがれていたこの職業に、やっとつくことができたのだ。そして、これが初仕事。

決意は炎のごとく燃え、勇気はからだにみちあふれ、緊張した神経はびりびりしている。しかし、彼は肩をいからせ、武者ぶるいしながら乗り込んだのではない。そんな態度をとったら、すぐに怪しまれてしまう。

地味な服装と、ひかえ目な動作。なるべく、平凡な外見をよそおわねばならぬ。表むきは、古代美術研究家ということになっている。他人には、温和な印象を与える肩書のはずだ。

その国についたエヌ氏は、家具つきアパートの一室をかり、そこに落ち着くことにした。だが、部屋にはいったからといって、安心はできない。どこかに、盗聴マイクがしかけてあるかもしれない。また、超小型テレビカメラの監視装置が、かくされてないとも限らない。

エヌ氏は部屋のなかを、徹底的に調べはじめた。テーブルやベッドや椅子《いす》などの脚をとりはずし、ラジオを分解し、電話機の裏をあけ、花びんの花を抜いてなかをあらためた。

さらに、通風装置や洗面所の設備をこわし、ジュウタンをめくり、クッションや枕《まくら》のなかを調べ、鏡のむこう側からのぞかれていないかたしかめ、くまなく検査した。

だが、まだ完全とはいえない。壁や天井や床をこつこつとたたいて反響に耳を傾け、なにか装置が埋めこまれていないかと、しらみつぶしにさぐっていった。

そのうち、ドアにノックの音がし、来客のけはい。エヌ氏は身がまえて言った。

「どなたですか」

「このアパートの管理人です」

中年の婦人の声で、聞きおぼえはある。

「どんなご用でしょう」

「壁や床をたたかれてうるさいと、ほかの部屋の人から文句が出ました。いったい、なにをなさっているのです。あけて下さい。管理人として、なかをたしかめ、みなさんに説明する責任がありますから」

入室を断わると、かえって怪しまれ、さわぎが大きくなるばかりだろう。やむをえず、エヌ氏はかぎをはずした。管理人の女は室内を見て、目を丸くした。あばれん坊の子供だってこんな無茶なちらかし方はしない。

「なんです、これは。泥棒にでもはいられたのですか」

「いえ、その……」

エヌ氏は説明に困って、どぎまぎした。

「冗談半分でしたら、許せません。二度とこんなことをなさったら、出ていってもらいます。こわした品は、あなたの負担でもと通りにしてもらいますよ」

さんざん油をしぼられてしまった。

つぎの日の夕方、エヌ氏は公園へ散歩に出かけた。あたりのようすを、よく知っておかなければならない。

その時、ボールがころがってきた。むこうで、少年が「とってよ」と声をあげている。

エヌ氏は手をのばしかけたが、一瞬、身をひるがえして、そばのベンチのかげに伏せた。爆弾かもしれないではないか。おれはスパイなんだ。消そうとしている相手は、どこにいるかわからぬ。そして、どんな方法でむかってくるか、予想もつかないのだ。

おそらく、さりげない形で、油断をついてくるにちがいない。

しかし、爆発はしなかった。ボールを追ってきた少年は、ふしぎそうな表情でエヌ氏を眺めた。大の男が、ボールをこわがったのだから。

公園を出たエヌ氏は、レストランで夕食をとった。だが、料理を口にしかけて、ちょっと考えた。ここのボーイが敵側のスパイかもしれないではないか。そういえば、態度に変な点がないとはいえない。

犬を連れた貴婦人が、店にはいってきた。エヌ氏は肉を少し切って、犬にやった。犬は喜んで食べ無事だったが、婦人はその失礼をとがめた。

「なにをなさるんです」

「あまりかわいい犬ですので」

「ほめていただくのはけっこうですけど、勝手に食べ物をやられては迷惑ですわ」

エヌ氏はすっかり恐縮した。彼は食堂を出て注意ぶかく歩き、あるバーにはいった。酒を飲んでいると、となりの男が話しかけてきた。

「お仕事はなんですか」

「古代美術の研究ですよ……」

エヌ氏は表むきの職業を答えながら、タバコを口にした。相手はライターをつけ、さし出した。そのとたん、エヌ氏はライターをたたき落した。毒ガスが出てくるかもしれないではないか。

「なんです失礼な」

怒るのは当り前だ。あわや、乱闘がはじまりそうになった。

しかし、ちょうどその時、若い女がバーにはいってきた。彼女はエヌ氏と同じ組織に属するスパイ、すなわち同僚。ここで待ちあわせることになっていたのだ。彼女があやまってくれたおかげで、さわぎはそれ以上ひろがらず、なんとかおさまった。

エヌ氏は彼女と夜の道を歩きながら、仕事の打ち合わせをし、彼女のアパートまで送っていった。彼女はすすめた。

「ちょっとはいって、紅茶でもお飲みにならない」

「ありがとう」

彼女は紅茶を入れてくれた。エヌ氏は考えた。彼女はたしかに同僚だ。しかし、敵に買収された二重スパイでないと、断言できるだろうか。警戒するに越したことはない。スパイは非情な職業なのだ。

そこで、すきをみて紅茶のカップをすりかえた。飲むとすぐに眠くなってきた。

朝になって起きると、彼女が言った。

「どうして、あたしの紅茶を飲んじゃったの。あたし不眠症なので、寝る前に紅茶に薬を入れて飲むことにしてるのよ。おかげで……」

やがてエヌ氏は、上司から帰国を命じられた。アパートの管理人の女は、変な古美術研究家だと言いふらすし、公園の少年たちはボールをぶつけて面白がる。レストランやバーでは敬遠される。部屋を訪れたセールスマンを、敵のスパイと勘ちがいしてなぐったこともばれた。これでは目立ってしようがないのだ。

帰国したエヌ氏は、今後ずっと、事務的な仕事だけをやらされることになった。

エヌ氏の後任のスパイとしては、のんきな性格の男が選ばれた。しかし、その男は大きな盗聴機がしかけられているのに気がつかず、すぐ身分がばれた。そして、見知らぬ人からもらったお菓子をいい気になって食べ、たちまち毒殺されてしまった。

趣味決定業

エフ博士は科学者だったが、社会のことに無関心というわけではなかった。やがて一台のコンピューターを作り、それを使って趣味決定業という商売をはじめた。

現代は、趣味を持っていないと、なんとなく気がひける時代だ。なぜそうなのかはわからないが、現実にそうなっているのだから仕方ない。

そのため、だれもかれも、趣味を持たなければとあせる。なかには、べつに好きでもないことを、性格にあわなくてもおかまいなしに、身につけようとする人もでてくる。

本質的に音痴のくせに、ギターをひこうと苦心さんたんする者がある。運動神経に欠陥があるのに、スポーツカーを乗り回そうとする者がある。したがって、当人にも他人にも有害無益な現象が、やたらとふえることになる。

エフ博士は、それをなんとかしようと思ったのだ。コンピューターを使って、その人にぴったりの趣味を、きめてあげようという仕事だ。

そのコンピューターはかなり大きく、メーターやランプがたくさんついている。マイクロフォンやスピーカーもついている。金属製の外側は銀色をしていた。愛称はエルマという。エレクトロ・メカニカルなんとかという長い語の略なのだそうだ。

お客は毎日、ひっきりなしにやってくる。みな不安そうな表情だ。

「あの、ぼく、趣味がなんにもないので、困っているんです。来年卒業なんですが、入社試験の時に趣味を質問されたらと、心配でなりません。無趣味のために不合格となり、みじめな一生をすごすことになるのかもしれないと思うと……」

「まあまあ、そう深刻に悩むことは、ありませんよ。たとえ深刻な問題だったとしても、エルマに指示してもらえば、すぐにさっぱりし元気になれます」

まずエフ博士は、お客にカードを渡しそれに記入させる。性別、年齢、学歴。つとめている人なら、勤務先の職種、収入、家庭状況、健康などについてだ。これらは趣味決定の要素となる。

それから、博士はエルマの前に案内し、椅子《いす》にかけさせる。お客の青年が聞く。

「これから、なにがはじまるのです。どうやればいいのですか」

「そのスピーカーから、エルマが各種のことを話しかけてきます。あなたは、マイクにむかって、それに答えればいいのです。簡単なことですから、気軽にどうぞ」

コンピューターのエルマは、いろいろなことを質問してくる。椅子は一種のうそ発見機にもなっているので、さきにカードに記入したことがいいかげんだと、訂正されてしまう。

また、連想テストなどもおこなわれる。「木という言葉からなにを連想しますか」とか「青という色からは」とか「会社という言葉からは」というたぐいだ。

お客は頭に浮かんだものを答える。答えるまでの時間も測定される。このようにして、本人の性格が明らかになってゆくのだ。

同時に、カードのデータとも総合され、範囲がしぼられてゆく。エルマはカチカチと音をたてて計算し、質問をし、また計算し、質問をする。

たとえば、水に関係のあることが適当となると、さらに、では釣りと熱帯魚飼育とどちらがいいかとの問題になる。水の関係から、水泳かボートかとわけられることもある。

かくして、最後に指示が一枚のカードとなって出てくる。それには、その本人に最もふさわしい趣味が記されているのだ。また、入門書の書名とか、教習所の所在地とかいったものも付記されている。

お客は喜び、エフ博士に料金を払って帰ってゆく。性格にぴったりの趣味なのだから、上達も早い。これが最適との保証つきだから、途中であきて投げ出すこともない。また、当人の健康ぐあいを考慮した上での決定だから、熱中しすぎても心臓まひをおこしたりはしない。家財を売りとばして、悲劇的な結果をひきおこすこともない。

時には、頭のいいメーカー関係者がエフ博士を訪れ、そっとたのみこむ。

「いかがでしょう、先生。わが社はこんど、パズルゲームのセットを新発売することになりました。このことを、エルマにも教えておいて下さいませんか」

「いいでしょう。それにふさわしい性格の人がいたら、パズルを趣味とするよう指示が出るでしょう」

「いいえ、じつは、エルマにちょっと手を加え、この趣味をはやらせていただきたいのですよ。もちろん、お礼のほうは……」

と札束をちらつかせるが、エフ博士は受け取らない。そんなことをし、うわさが外部にもれたら、信用にかかわる。また、こんな金をもらわなくても、けっこう繁盛《はんじょう》しているのだ。

ある日、エフ博士は考えた。

「わたしはいままで商売ばかりにはげみ、自分の時間を持てなかった。だが、これからは生活を楽しむことにしよう。なにを趣味としたものか、エルマに教えてもらうとするか」

博士はお客のあいまを利用し、エルマに調べてもらった。データがそろい、最後にカードが流れ出てきた。

見ると〈金属みがき〉と書いてある。

「妙な趣味だな。しかしエルマのきめたことだ。まちがいはないはずだ」

そして、みがくものなら、すぐそばにある。エルマの外側の金属を、みがけばいい。ふしぎな気がしないでもなかったが、博士はエルマの外側をみがきはじめた。

しばらくつづけているうちに、はたしてその行為が面白くなってきた。みがくのに熱中しているあいだは、頭のなかの雑念が消える。終ってふたたび仕事にもどる時は、思考が新鮮になっているのだ。

趣味として、あまり金がかからない点はよかった。みがき方はしだいに上達し、短時間のうちに、くもりひとつなく仕上げることができるようになった。エルマはいつもぴかぴかであり、それはお客にいい印象をも与えた。

このようにして、エフ博士の趣味決定業はさらに忙しくなっていった。営業を拡張しなければならなくなった。

博士はコンピューターを、もう一台作った。その時、ある実験を思いついた。いったい、エルマそのものはどんな趣味がふさわしいのだろう。新しい一台を使って、それを調べてみようと考えたのだ。

やってみると、やがてカードが出てきた。それには〈おしゃれ〉と記されてあった。博士はうなずいたが、ちょっと妙な気分にもなった。

装置の時代

朝、ベッドのなかで目をさましたエヌ氏が、枕《まくら》から頭をあげると、耳についているイヤリング状の小さなスピーカーがささやいた。

〈おはようございます。あなたの睡眠は充分でございます。きょう一日を、元気でおすごし下さい〉

スピーカーが枕のなかの装置からの連絡を受け、睡眠の度合いを知らせてくれるのだ。睡眠不足の時はそれを注意してくれるし、眠りの浅い時には、どんな薬を飲んだらいいか教えてくれる。

たしかに便利だ。こんなものができるとは、むかしの人は考えもしなかったろう。

エヌ氏は、夫人とともに朝食をとる。食事をしている時、また耳もとでスピーカーがささやく。

〈コーヒーはそれぐらいになさって、もっとミルクをお飲み下さい。チーズももうひと切れ……〉

天井のテレビカメラが食卓の上を見つめており、へりぐあいによって食べた量が計算され、その結果が指示の声となって伝えられるのだ。

エヌ氏はそれに従う。ずっと従っているからこそ、このようにからだの調子がいいのだ。やせすぎることもなく、ふとりすぎもしない。つねに栄養のバランスがたもたれ、内臓のぐあいもいい。たしかに便利だ。むかしの人は、考えもしなかったろう。

食事がすむと、エヌ氏は洗面所で歯をみがく。そのあと、小さな装置を五秒ほど口にくわえる。これは口中状態検査器。細菌の有無、虫歯のぐあい、酸性度などを調べてくれるのだ。

〈お口のなかに、異状はございません〉

スピーカーが報告してくれた。

ひげをそり、洗顔したあと、エヌ氏はべつの小さな装置を手にし、自分の頭をなでる。これは毛髪状態検査器で、異状があればすぐに知らせてくれる。頭を洗うべき時を教えてくれるし、適当なヘアトニックの指示もしてくれる。これによって、毛髪はいつも最良の状態にたもたれているのだ。

エヌ氏はトイレにはいる。ここにも装置があるのだ。排泄物《はいせつぶつ》を分析し、なにかの変化があれば知らせてくれる。消化のぐあいを調べ、食事の注意をしてくれることもあれば、薬を飲むように告げてくれることもある。病院へ行って、念のために精密検査を受けるようにと指示されることもある。

最初のうちは変な気分だったが、なれた今では、かえって気が休まる思いだ。病気は初期に発見され、手おくれになることもない。異状がないのに、病気かもしれぬと悩むこともない。また、必要もないのに、むやみと薬を飲まないですむ。長生きを与えてくれる装置のなかでも、これは重要なもののひとつだ。

どれもこれも、たしかに便利だ。こんなものができるとは、むかしの人は考えもしなかったろう。

トイレから出ると、電話がかかってきた。

「もしもし……」

おたがいに声をかけあう。電話機に接続したそばの小さな装置は、電話の相手の名前と顔写真とを、スクリーンの上にうつし出している。

その装置は相手がひとこと言えば、その声の特色を分析し、記録ファイルのなかから選び出し、だれからかかってきたのかを示してくれるのだ。はじめて電話する時だけ名前を言えば、二回目からは「もしもし」だけですむ。簡単で正確で、時間の節約になり、声色《こわいろ》を使った詐欺《さぎ》にかからなくてもすむ。

話の用件は、旧友からで、会社の仕事で上京するから、夕方にでもちょっと会おうとのことだった。

そろそろ出勤の時刻だ。自動ブラシかけ器で服はきれいになっている。ネクタイ選び器がその日の天候、服、気分にあったのをさし出している。忘れ物検査器が働く。

家を出ようとするエヌ氏に、夫人が言った。

「あなた、領収書保存器が故障しちゃったの、持っていって、会社の途中で修理に出してきてね」

それは領収書をマイクロフィルムにうつしとっておく装置だ。ごく小型であり、分類もしてくれるし、うつりはきわめて精巧だ。このマイクロフィルムは、法廷でも証拠に採用されることになっている。

代金は払った、いや受け取っていない、領収書をなくしてしまった。といったたぐいの争いは、この装置の出現以来、一切なくなった。たしかに便利だ。むかしの人は、考えもしなかったことだろう。

それを渡しながら、夫人が言いたした。

「それから、きのう修理に出した戸締まり確認装置、午後にはなおっているはずだから、帰りがけにとってきてね」

外出や就寝前、それを見れば、戸締まりをしたかどうか、一瞬で確かめることができる装置のことだ。締め忘れて泥棒にはいられることもなく、締めてあるのに気になって、ベッドから起きて調べに立つ必要もない。

たしかに便利だ。こんなものができるとは、むかしの人は考えもしなかっただろう。だからこそ、故障したらすぐに修理しておかねばならないのだ。

エヌ氏を送りだしたあと、夫人は万能故障発見器で、家じゅうの装置をくまなく調べる。装置が狂いはじめていると、発見器はベルの音をたて注意してくれるのだ。そして、修理を要する装置があると、つぎの日の出勤の時、夫人はエヌ氏にたのむのだ。これが日課だった。

エヌ氏は装置をかかえ、出勤の途中、修理デパートに寄って依頼する。どの装置も精巧で複雑で、しろうとが休日を利用してなおす、というわけにはいかないしろものばかりだ。へたにいじったりすると、かえってよくない。どうしても修理は、専門家の手をわずらわさなければならない。

たいていの品は、買ってから三年間は絶対に故障しないとの保証つきだ。事実、その通りでもある。しかし、買ってから五年以上になるものも、たくさんある。それに、あれこれ合計すると、家にある装置は千種以上にもなるのだ。そして、故障していると不便なものばかりだ。

というわけで、一日に一つや二つは、たいてい故障をおこしている。だから毎日、なにかしら持って出て修理に出し、帰りにはなおっているものを受け取り、費用を支払うということになってしまう。

この時だけは、エヌ氏も心のなかで叫ぶ。なにが便利だ、こんなことになろうとは、むかしの人は考えもしなかったろう、と。

気前のいい家

ある夜ふけ。エヌ氏が自宅の部屋で本を読んでいると、ドアがそっと開いて、だれかがはいってきた。

「どなたです」

とふりむくと、そこには顔を黒い布でおおい、ナイフを手にした男が立っていた。

男は、ぶっそうなことを言った。

「おとなしくしていろ。さわぐと、痛い目にあうぞ」

しかし、エヌ氏は落ち着いた口調で答えた。

「なんです、そんなかっこうをして。捕物帳《とりものちょう》ごっこのつもりか。遊ぶのなら、よそでやりなさい。ここは、わたしの家だ」

「なにをとぼけている。おれは、金が目あてでやってきたのだ。さあ、金を出せ」

「ははあ、さては強盗だな」

「当り前だ。まったく、せわのやけるやつだな。この家は景気がいいらしいと、近所でうわさしている。それに、手伝いの人は夜になると帰り、ひとり暮しということも調べた。そこでおれが乗り込んだのだ」

「実行前の調査も、ゆきとどいているというわけだな」

「金がないとは言わせないぞ。さあ、その金庫をあけろ」

「いやだな」

「いやだというのなら、まずおまえを殺し、そのあとでドリルと爆薬で金庫をこじあけることになる。しかし、それでは、おまえは命を失い、おれはよけいな手間を費やさなければならない。おたがいの損だ。なるべくなら、そうしたくない。さあ、どうする」

強盗はナイフを振りまわした。やがて、エヌ氏はうなずいて言った。

「うむ、なかなか論理的に話を進めるやつだな。殺されても金庫はあけないつもりだったが、その論理的なところが気にいった。あけてやろう」

エヌ氏はダイヤルを回して金庫をあけると、なかには金貨がたくさんあった。強盗は目を細めた。

「すごいものだな」

「古今東西の金貨で、わたしのコレクションだ。これを持ってかれると思うと、残念でならない」

強盗は、それをポケットに移してしまってから言った。

「この調子なら、もっとなにかあるだろう。さあ、金目のものをもっと出せ」

「そりゃ無茶だ。約束がちがう」

「約束なんか、なんだ。あらためて出なおしたりしたら、つぎにはこううまくいかない。ぐずぐずいうなら、ナイフだ」

「わかった、わかった。出そう。機会をとらえたら、それをのがさず、とことんまで利用する性格が気にいった。じつは、ここにもしまってある」

エヌ氏は壁の絵をずらし、その裏の金庫をあけた。そこにも、金貨が一袋あった。強盗は、それを受け取りながら言った。

「いやに気前がいいんだな。ふしぎでならない」

「気になるのだったら、いまからでもおそくない。悪いことは言わない。金貨を置いて帰ったらどうだ」

「冗談じゃない。そんなこと出来るものか。ここまできたら、ものはついでだ。あらいざらい、もらっていこう。さあ、なにもかも出してしまえ」

「これは驚いた。いくらなんでも、それはひどいよ」

「つべこべ言うな。そのかわり、もう二度と強盗にははいらないでやるぞ」

強盗はまたもナイフをふりまわした。

「みんな持ってったら、二度と来る気にはならないだろうさ。うむ、よし、出してやろう。おまえの欲ばり、いや、あくなき利益追求の精神に感心したからだ」

エヌ氏が机のひき出しをあけると、そこには各種の銀貨がぎっしりはいっていた。

「たくさんあるな」

「これで終りだ。入れるものがないだろうから、カバンをやろう。少し旧式で重いカバンだが、途中でこぼさないですむ」

「いやに親切だな」

「気がとがめるなら、早いところ反省して、なにも持たずに帰ったらどうだ」

「とんでもない。これを持って、さっとここを出る。用意のバイクで、すばやく逃げる。めでたしめでたしだ。そのほうを選んだほうが、賢明じゃないか。あばよ」

強盗は金貨や銀貨をつめたカバンを持ち、急いで部屋を出た。しかし、さっと逃げるというわけにはいかなかった。

そのとたん、ドアのあたりの床が割れて、下に落ちたのだ。強盗は穴のなかでしばらく呆然《ぼうぜん》としていたが、やがて声をあげた。

「おい、これはどういうわけなんだ」

「これはわたしの発明した、防犯用の非常装置。重量計と連絡してあり、はいった時にくらべ重みがましていると、自動的に床が割れて、人を落すしかけなのだ」

「ひどい装置だな。早く出してくれ」

「だめだ。警察を呼ばねばならぬ」

「ま、まってくれ。それだけは困る。金貨や銀貨はみんな返すから、かんべんしてくれ」

強盗からカバンを取りあげながら、エヌ氏は言った。

「ナイフもだ。それを持たせておくと、また振りまわすにきまっている」

「仕方ない。さあ、ナイフだ」

「それから、紙と万年筆を渡すから、ここへ強盗にはいりましたと、自白書を書いて指紋を押してくれ。それをもらい、わたしが信用する友人に郵送してから出してやる。つまり、こんご、わたしに反抗できないよう、おまえの弱みを押えておくわけだ」

強盗はぶつぶつ言ったが、このまま警官につかまるよりはと、それに従った。ひと通りすむと、エヌ氏は強盗を穴から出してやって言った。

「さて、これからおまえは、わたしの下で働いてもらわねばならぬ」

「ああ、ひどいことになった。しかし、いやだと言ったら、警察行きにされてしまう。いったい、なにをして働けばいいんです」

「販売だ。セールスマンになって、大いに売り込んでもらいたい」

「なにをです」

「この、わたしの発明した防犯装置をだ。効果のすばらしさについては、おまえは身にしみてわかったはずだ。説明の材料にはことかかないはずだ。それにおまえの計画性、強引さ、理屈、機会をのがさぬ点、利益追求の精神。これらによって、きっと成績はあがるだろう」

「そういうしかけだったのか」

「そうだ。おかげで、わたしはさらに景気がよくなる。わが社に関しては、求人難なんてことはない。販売員は、おまえでちょうど三十人になった」

最初の説得

美しく咲いた草花にかこまれ、はだかの女がもの思いにふけっていた。太陽の光は、肌のすみずみまで照らしている。そよ風は髪の毛をゆらせ、あたりでは、小鳥が楽しげにさえずっている。しかし、女の表情は、悩みにみちていた。

彼女のそばには、ひとりの男が、やはりはだかで寝そべっている。といって、風紀がどうのこうのと、さわぎたてる事態ではない。だいいち、さわぎたてる者もいないのだ。ここはエデンの園、男はアダムであり、女はイブ。

しかしイブは、きのうまでのイブとは、ちょっとちがっていた。さっき、ヘビの口車にのせられ、禁断の果実を食べてしまったのだ。それを食べたとたん、思考がいっぺんに働きはじめ、感情がめざめた。その感情のなかで、まっさきにわきあがってきたのは不安感だった。

あたしは、食べてしまったのだ。いけないことになっている果実を、とうとう食べてしまったのだ。もう、とりかえしがつかない。これから、どうなるのだろう。

ますます強まる不安を押えるためには、アダムにも食べさせるのがひとつの解決法だ。いや、唯一《ゆいいつ》の方法だ。なんとしてでも、食べさせなければならない。しかし、どう持ちかけたらいいのだろう。うまい案が思い浮かばない。

したがって、イブはもの思いにふけらざるをえないのだった。

一方、アダムのほうは、のんびりした顔つきだった。エデンの園にいるのだから、なんの危険もなく、生活の不満もない。また、まだ禁断の果実を食べていないのだから、精神的にも平穏そのものなのだ。悩みなるものの存在など、少しも知らない。

アダムは軽くあくびをし、イブの顔をみた。しかし、べつになんとも言わない。「おい、どうかしたのか」とも話しかけない。彼にとって、もの思いという現象は理解のそとにあり、異変の発生も想像できないのだ。

アダムは手をのばして花をつみ、眠そうな目をさらに細めてにおいをかぎ、しばらくしてほうりなげ、また横になった。

「ねえ……」

アダムが少しも察してくれないので、イブは仕方なく、自分のほうから呼びかけた。

「なんだい」

と、アダムのまのびした声。

「あの禁断の実を食べてみない」

「そんな気には、ならないね。あれは、食っちゃいけないことになっているんだ。食っちゃいけないというのは、まずいからにちがいない。そんなもの、わざわざ食ってみることはないよ。うまい果実は、ほかにいくらでもあるじゃないか」

アダムはすなおな答えをした。しかし、イブもここであきらめるわけにはいかない。

「食べちゃいけないというのは、おいしいからなのよ。まあ、ためしに一口やってごらんなさいよ。いままでにない新鮮な味なんだから……」

いろいろとすすめるが、効果はない。アダムには邪推とか好奇心とかいう感情がまだめばえていず、それに訴えようとしてもだめなのだ。

「どうしても、食欲がおこらないな」

アダムは、ぼそぼそ答える。イブは、いらいらしてきた。なんとしてでも、ここで相手の消費意欲をかきたてねばならぬ。興味を抱かせ、手にとらせ、口に入れてみる気にさせなければならないのだ。

「まあ、だまされたと思って、食べてごらんなさいよ。とってもすてきなんだから」

「いまのままでも、すてきじゃないか」

こう反問され、イブは困った。ストレートに効能を解説する手がかりがないのだ。

作戦を変え、説得はべつな方面からとりかからなければならないようだ。

「ねえ、お願い。あわれなあたしを助けると思って……」

「あわれって、なんのことだい」

アダムのこれまでの体験には、あわれなんてものはないのだった。これでは同情に訴えることもできない。

「いじわる……」

ぷんとした表情で、イブは立ちあがってみた。しかし、アダムにはやはり、なんの反応もない。いじわるの感情も、彼はまだ持っていないのだ。

イブは少し歩き、ヘビを見つけて話しかけた。

「ねえ、アダムに食べさせることも、あなたやってちょうだいよ」

「いやだね。そこまでは、おれの役目じゃないよ。自分で考えてやるんだね。朝から晩まで、耳もとで毎日ささやきつづけたらどうです。いつかは、彼も食べる気になるだろう」

「そんなに待てないわ。いじわる」

「なんとでも、お言いなさい」

いじわるという言葉は、ヘビには通じた。だが、局面を打開する役には立たなかった。イブはまた、アダムのそばに戻った。

「ねえ……」

イブは言葉による説得をあきらめ、からだを総動員し、立体的な働きかけをやってみることにした。まず流し目を送り、ウインクをし、恥ずかしそうなしぐさをした。事実、彼女は禁断の実を食べたため、はだかを意識しているのだ。イブは身をくねらせ、笑いかけ、すねてみせ、泣いてみせ、からだをすりよせた。

しかし、アダムはきょとんとしている。セクシーな魅力とはなにかを、まだ知らないのだから、当然のことだ。

イブはがっかりした。女性である利点が、なにひとつ通用しないのだ。はだかでいることの恥ずかしさをこらえ、いかに熱演してみせても、依然として効果はあがらない。

イブはくたびれた。草に腰をおろしてアダムを見ると、平和そのものの顔で、またも軽くあくびをしている。イブは面白くなかった。あたしが、これだけ悩んでいるというのに……。

イブは歯ぎしりをし、目をつりあげ、一大決心をした。彼女はそばにあった石ころを握って立ちあがった。そして、アダムの頭をうしろから力いっぱいなぐった。

警戒心をも持ちあわせていないアダムは、身をかわすこともせず、石の衝撃でたちまち気を失った。イブはその口に、禁断の実を押しこむ。

それから、イブはやさしく介抱する。やがてアダムは気がつく。

「いったい、なにがおこったんだ」

「流れ星にでも当ったんじゃないかしら」

「いやに、しゃれたことを言うじゃないか。しかし、そんなことより、どうしたわけか、きみが今までとは別人のように、美しく魅力的に見えるよ……」

つづいて、史上はじめての熱烈なキスが……。

仕事の不満

会社からの帰りに、おれはバーにはいって酒を飲む。

「仕事が面白くない。まったく、面白くない仕事だ。なんでこんな面白くない仕事を、会社でやらなければならないんだろう」

こうつぶやきながら、おかわりをする。となりの席にだれかいあわせた時には、それにむかって同じ文句でぐちをこぼす。聞き手があると、ぐちのこぼしがいがあり、気も晴れるが、同時にそいつから「仕事が面白くない」とのぐちを聞かねばならないことになる。

どっちが得なのか、よくわからない。だが、いずれにせよ大差ないのだ。何杯も飲み、アルコールの酔いが会社の仕事のことを忘れさせてくれるまで、そこにいればいいのだ。バーを満員にしている客の、ほとんどがそうだ。

これが、おれの日常なのだ。何年となく、一日もかかさずつづけている。もっとも休日にはバーへ行かない。しかし、その時刻になると、からだがアルコールを要求しはじめ、おれは買っておいた酒を飲みはじめる。アル中とかいう状態なのだろう。

　それでも、最初のころは、会社からバーに直行はしなかった。公園を散歩したり、ゲームをしたりして時間をすごし、それからバーへ寄ったものだった。

　しかし、そのうち、まっすぐバーをめざすようになってしまった。ピンク色の象があらわれ、おれをバーへ追いたてるからだ。

　もちろん、それは幻覚だ。からだがアルコール分を求めだすと、その象がどこからともなく幻となって出てくる。幻覚なのだから、べつにこだわることもない。また、その幻覚と遊んでもいいのだが、おれは象がきらいで、とてもそんな気になれるものではない。

　こいつを消すには、酒を飲む以外にないのだ。したがって、バーへ急ぐことになる。バーには、こんな段階になった客も多い。おれたちは、飲みながらそれを話題にする。

「聞いて下さいよ。わたしの幻覚はピンクの象なんです。いやなもんですよ。このごろは、よほど飲まないと消えてくれなくなりました」

「いいじゃありませんか。わたしの幻覚は、たくさんのチョウチョウです。わたしはチョウがきらいでね。それなのに、目の前をうるさく飛びまわるんですから。あなたがうらやましい」

「チョウとは、うらやましい。できることなら、わたしの象ととりかえたいものですな」

おたがいにぐちをこぼし、飲みつづける。アル中の幻覚とは、当人のいやがる存在が出現するものらしい。

どうかして夜中に目がさめた時、枕《まくら》もとにピンクの象がうずくまっているのは、幻覚とわかっていてもじつにいやなものだ。

おれは、睡眠薬にたよることにした。それで眠っていれば、少なくともそのあいだだけは、ピンクの象に悩まされないですむ。

しかし、やがてそうもいかなくなってきた。眠れば象からのがれられるのだが、そのかわり、いやな夢を見るようになったのだ。自分がシマウマに変身する夢だ。そしてはてしない野原を、どこまでも走りつづける。なぜこんな夢を見るのかわからないが、とにかく目がさめるまでつづくのだ。しかも、毎日。

おれは医者をたずねた。

「なんとかして下さい。シマウマになって走る夢を見るのです。一回や二回ならともかく、毎晩となると、たまったものではありません……」

おれはくわしく説明した。医者はうなずきながら聞き、それから言った。

「それはですね、あなたのきらいなピンクの象に原因があります。それから逃げようという願望のあらわれです。走りつづけるのも、そのためですよ」

「なるほど。で、どうしたらいいのでしょうか」

「幻覚の象を消すのが先決です。つまり、お酒をやめればいいのです。ある期間入院なされば、アル中をなおしてさしあげます」

「それはありがたい。しかし、ちょっとうかがいますが、酒をやめたあと、会社がひけてからの時間を、なにしてすごしたらいいでしょう」

「それは、ご自分できめるべきことです。なにもしないのが理想ですが」

「はあ……」

おれは不満だった。そんなことは、考えられない。仕事が終ったあと、なにもせずにいられるものではない。幻覚のピンクの象や、シマウマの夢といたほうが、まだいい。まだ救いがある。

おれは入院をやめ、これまでの日課をつづけることにした。

おれは朝、シマウマの夢からさめると、会社へ出かける。

ビジネス用の机にむかい、椅子《いす》に腰をおろす。とたんに装置が作動し、あらゆる事務が自動的に片づいてゆく、まわってくる書類は、すべて自動的に整理され、分類され、検討され、統計が出され、問題点が指摘され、それにもとづいて計画が立てられ、ほかの係の机に送られ……。

そのほか、なにもかも、正確にスムースに処理されてゆくのだ。この装置は、椅子がスイッチになっており、腰をおろすと作動する。すなわち、腰をおろさない限り、担当の本人が腰をおろさない限り動かない。立ちあがるとスイッチが切れ、働かなくなる。

勤務時間のあいだずっと、おれは机の上で事務が片づいてゆくのを、ただぼんやりと眺めている。それが仕事なのだ。

おればかりでなく、同僚もそうだ。また、どこの会社でも同じだ。輝かしい科学の成果で、こうなったのだそうだ。労働は軽減され、だれも失業せず、こんないいことはないのだそうだ。

そういわれれば、そんなものかなと思う。だが、おれはどうも面白くない。いらいらしてならない。たえがたい気分だ。すべてのことの起りは、ここにあるのじゃないかと思う。

だれもがすぐアル中になり、すぐ幻覚があらわれるというのも、このいらいらした単調な仕事のせいだ。会社がひけてから、なにもせずにいるなど、できるものではない。なにもしなかったら、頭がおかしくなるだろう。

おれはあいかわらず勤務時間が終るとバーへ急ぐ。飲むのをやめようとも思わないが、思ったところで、幻のピンクの象に追いたてられるのだから、さからえない。

酔いに酔ったあげく帰宅し、睡眠薬を飲み、こんどは夢でシマウマとなって走りつづけるのだ。かくして、おれの正気はやっとたもたれている。

あるノイローゼ

人生、いつなにがきっかけとなって、どう変りはじめるか、まるで見当がつかない。私の場合、それは会社で仕事が一段落し、ツメでも切ろうかと、なにげなく小さなハサミを手にした時が境となった。緊張がゆるんだためだろう。ふと、数年前の失敗のひとつを思い出したのだ。

うっかりして発注書の数字を書きまちがえ、会社に損害をおよぼしたことだ。しかし、損といってもたいした額ではないし、それ以後は私もよく仕事をやってきた。何年もたった今では、だれもすっかり忘れている。

「あんなこともあったな……」

私はつぶやき、すぐ忘れてしまおうとした。だが、なにか頭にひっかかるものがある。なぜだろうと考え、私は気がついた。

「いかん。あのミスは、あいつが来て以後のことだった……」

ミスを忘れてくれないやつ、絶対に忘れてくれないやつが存在していることに気がついたのだ。

それはコンピューター。なにもかも記録し、整理もする機能の装置。それが、わが社にもそなえつけられてからのミスだ。それ以前にやった失敗とは、意味がちがう。

将来、私の昇進が上のほうで議題となった時、彼らはまず、コンピューターに資料を提出させるだろう。企業の合理的な運営のためには、そうするのも当然だ。

しかし、私としては大いに困る。その時、忘れることを知らないコンピューターは、あのミスのことを告げるにちがいない。きのうの出来事と同様に、はっきりと正確に答えてしまうのだ。

そして、上役たちはあらためて思い出し、言うことだろう。

「なるほど。そういえば、そんなこともあったな。となると、重要な地位につけるのは考えものだな」

冷酷な結果になる。私があのミスを深く反省し、二度とくりかえさないよう、いかに努力しているかなど、コンピューターはわかってくれないのだ。

だから、人事異動のたびにいつもその報告がなされ、私はいつまでたっても、うだつがあがらないということになる。私の給料がこのところちっともふえないのも、もしかしたらそのせいかもしれない。

想像は悪いほうへ悪いほうへと進み、気分は沈んできた。私のノイローゼはかくしてはじまり、その日から仕事に熱中できなくなってしまった。むりにやろうとしても、すぐコンピューターのことが頭に浮かぶ。やつは決して忘れてくれないのだ。

人間ならいつか忘れ、また、その後の努力で失敗を帳消しにもしてくれる。しかしコンピューターは、失敗はあくまで失敗と記憶し、何年たっても、新鮮にリアルにそれを再生してしまうのだ。こんなにもいじが悪く、救いのないことがほかにあるだろうか。

何日も頭をかかえて悩んだあげく、その部分をコンピューターの記憶から消してもらうよう、上役に申し出ようかと考えた。それができたら、さぞはればれすることだろう。

しかし、私はそれを思いとどまった。書類にして出せということになるだろう。そして、書類はコンピューターに送られ、それがまた記録されてしまうのだ。いっそう昇進にさしつかえることになる。

「あいつは、むかしの失敗の記録を消してくれと申し出た。そういう性格では、責任ある地位につけられない」

と判断されてしまうだけだ。

だが、現状のままでは、将来への希望はとざされている。私はいっそのこと、会社をかわろうかとも思った。それもやはりだめなのだ。よそに就職しようとすれば、その会社でも私の過去の経歴資料を知りたいと要求するだろう。そしてテープだか磁気カードだかが、会社から会社へ送られるのだ。

どこへ移ろうが同じこと。私はコンピューターから離れられない。一生、やつから逃げることができないのだ。しかも、許してくれと泣きついても、やわらかくごきげんをとろうとしても、少しもうけつけてくれない相手なのだ。

しかし、まだ方法がないわけではない。私は、コンピューターを爆破してやろうと決意した。忘れてくれないのなら、そいつを殺すまでだ。ところが、計画にとりかかってみると、容易でないことがわかった。装置は社内で、最も重要な扱いを受けている。簡単には近づけない。近づいたところで、どこを爆破すればいいのかわからない。記憶部分は丈夫な金属でおおわれているかもしれないし、記録の予備があるかもしれない。また、やりそこないでもしたら、その行為も新しく記録され、私は死ぬまで、無期懲役のようにこき使われることになる。

絶望的に迷いつづけるうちに、私はからだが悪くなった。めしがのどを通らないからだろう。だからといって、医者に行ってもむだなのだ。問題点は私のからだのなかにあるのでなく、コンピューターのなかにあるのだから。もう、残された道は、ただひとつ。こうなったら自殺でもする以外にないのではないかと、私は思いつめた。

人間、死を覚悟するほど頭を使うと、意外なアイデアを思いつくものらしい。それを実行に移した結果、いまの私は、人生が楽しくてしようがないという状態だ。

私は会社をやめたのだ。そして、自分で事業をはじめた。すなわちコンピューター・ノイローゼ療養所というやつだ。開所してから、もう一年ぐらいになる。

世の中には、私のように悩み苦しんでいる人が多かったようだ。小さい広告を出しただけなのに、けっこう申し込み者が集った。

自分がそうだったのだから、私には患者の気持ちがよくわかる。そのため、患者は私を心から信頼してくれるというわけだ。

そこが商売。その信頼を利用して、適当に金を巻きあげる。そのあとで、わが療養所の職員に採用してやる。ここにはコンピューターなどないから、みな生れかわったように気力をとりもどし、よく働いてくれる。それを眺めると、私は人を助けた喜びを感じる。もちろん、経営はすべて順調だ。

そんなことをしたら、職員ばかりになり患者がなくなってしまうのでは、と思う人があるかもしれない。しかし、その心配は無用、療養を望む人はふえる一方なのだ。ことによったら、永久に拡張しつづけることになるかもしれない。

まったく、いい時代に生れあわせたものだ。私はいまや、コンピューターに心から感謝している。

声の用途

エヌ氏は、舞台で声帯模写をやるのを職業としていた。しかし、最近はあまり景気がよくない。なんとかしなければと思いながら、興行関係の会社を訪れた。

「なにか仕事をまわして下さい。一生けんめいやりますから」

社長室に通されたエヌ氏は、熱心にたのんだ。だが、社長の答えは、そっけない。

「だめだよ。いまのところ、そんな仕事はない」

「なぜ、だめなのですか。わたしの声帯模写がへただからなのですか」

「そうは言わん。きみの芸は優秀だ。しかし、いまは声帯模写だけではだめなんだ。ほかに歌がうまいとか、演技ができるとか、踊れるとか、なにかできてもらわねば困る。それに独自の個性。現代の観客は欲ばりになっている。じっくりひとつの芸を鑑賞するより、多彩なものをにぎやかに楽しみたがるのだ」

しかしここであきらめたら、めしの食いあげになってしまう。エヌ氏はねばった。

「そうおっしゃらず、ぜひ仕事を下さい。このところひまなので、芸に一段とみがきをかけました。本物そっくりにやってみせます。ラジオの仕事でもなんでもやります」

「ラジオはだめだよ。きみの欠点は、うますぎることにある。しかも、さらに修業したとかいう。そんなのを放送したら、聞く方は、本物のテープをつなぎあわせて編集したのと同じに受け取ってしまう。だれも驚きも感心もしない。テープレコーダーの時代は、きみをご用ずみにしてしまったのだ。働く余地はなくなったんだよ」

冷酷な答えだ。いろいろとたのんだが、とりあってくれない。ついにエヌ氏は言った。

「仕事をいただけるまで帰りません。ここを動きません」

「勝手にしろ。いたいだけいてもいい。ところで、わしは出かける。あまり室内をよごさないようにしてくれ。金庫にはかぎがかかっているから、金目のものを手に入れることはできんぞ」

そして、社長は出かけてしまった。ひとり残されたエヌ氏は、意地でもがんばってやると、腕を組んで床にあぐらをかき、しばらくそこにいた。

しかし、どうにもならない。やがて腹がへってくる。不満や怒りは消えず、むなしさや悲しみが加わり、まことに面白くない気分だ。

その時、社長の机の上の電話機が鳴りはじめた。エヌ氏はしばらくほっといたが、ほかにすることもなく、あるいは社長が考えなおし、いいしらせを告げるつもりになったのかもしれないと思い、電話をとった。

「ねえ、社長さん……」

なれなれしい女性の声がした。エヌ氏は好奇心と、退屈しのぎと、社長への不満のまざった気分で、社長の声をまねて答えた。

「ああ、わしだ。で、どなたです……」

「あら、あたしよ。とぼけちゃいやだわ。おわかりのくせに……」

社長と深い仲の女のようだ。だが、エヌ氏には見当もつかない。

「いや、わからんね。わしはいそがしいし、つきあっている女もたくさんいる。こまかいことを、いちいち覚えてはいられんのだ。どんなご用です」

「なぜ、そうごまかそうとなさるの。おわかりのはずよ。いつものお金をいただこうと思って……」

「なんの金だ。少し待ってもらいたいね」

社長になりすまして応答するのは、いい気持ちだ。どうやら、おこづかいをねだられているらしいのだが、それ以上のことはわからない。女はふしぎそうな口調で言った。

「どうかなさったみたいね。本当に社長さんなの」

「そうとも、どこか変かね」

「声はまちがいないわ。でも、なぜとぼけたふりをするの。お金を払いたくないんでしょう。だけど、そうはいかないのよ」

「ああ……」

「はっきり復習させてあげるわ。あなたは前に、自分の家に放火し、火災保険をうまく詐取《さしゅ》なさった。ご自分ではうまくやったつもりでも、物かげからあたしが見ていて、写真にとっちゃった。それをだまっていてあげるかわりに、毎月お金をもらうことになったのよ。忘れたなんて言わさないわ」

「ふん……」

エヌ氏は驚いた。甘い話どころか、恐喝《きょうかつ》だった。女の声はすごみをおびてきた。

「払いたくないのなら、それでもいいのよ。そのかわり、警察へとどけられるのを覚悟することね」

「ま、待ってくれ。払うよ。どこへ持っていったらいいか……」

待ち合わせの場所を聞いて、エヌ氏は電話を切った。そして、そこへ出かけた。

レストランのすみのテーブルに、若いのに油断のならない顔つきの女がひとり席についていた。ボーイに注文している声で、すぐに問題の相手とわかった。エヌ氏はそばへ行って話しかけた。

「あなたですね。社長を恐喝しつづけていた人は」

「いったい、あなたはだれなの。よけいなおせわよ。なにも知らないくせに」

女はびくりとしたが、つとめて平然と答えた。ほかに事情を知る者がいるとは、考えられない。自分はだれにも話さないし、社長のほうで放火の罪を告白するわけがない。

「ところが、じつは知っているんだ。さっきの電話の相手は、わしだったのだ」

エヌ氏は社長そっくりの声と口調で言ってみせた。女は信じられないといった顔つきだったが、事態をみとめなければならないと悟った。

「で、どうなさるつもりなの。なにもかも、警察へ知らせるつもりなの」

「そこは、いま考え中です。わたしが警察へ行けば、社長は放火と詐欺《さぎ》の件でつかまり、あなたは恐喝の件でつかまる。わたしはおほめの言葉ぐらいもらうかもしれませんが、それだけのことです。なんとなくつまらない気もしますね」

「結論をおっしゃってよ。どうしたらいいとおっしゃるの」

「あなたの取り分の半分を、毎回こっちに回して下さい。黙っていてあげます。しかし、わたしはどっちでもいいんですよ。おいやならすぐ警察へ行くだけのことです」

女は考えこんだ。しかし、いくら考えても結論はひとつ。承知せざるをえなかった。

エヌ氏はうれしくなった。声帯模写の芸も、使いようによっては、このように、まだまだ利益をうみだすことができるのだ。

紙幣

ある日の夜。町はずれの一軒家。なかでは、この家の住人である中年の女と、来客であるやはり中年の男とが話しあっていた。二人とも真剣な表情をしており、あいだの机の上には札束があった。男は言っていた。

「どうあっても、それをいただいて帰らねばなりません。お貸しした金であり、約束の期限でもあります。それをかえしていただかないと、わたしは手形を落せず、不渡りを出すことになります。いままで築きあげてきた商売が、だめになってしまうのです」

しかし、女のほうも悲しそうな表情で、心からの声を出した。

「おっしゃることは、ごもっともです。だからこそ、一応こうしてお金をつごうしました。でも、お願いです。返済はもう少し待っていただきたいのです。じつは、うちの子が急に病気になり、その治療代がいるのです。高価な新薬を使うのです。このお金をかえしてしまうと、子供は助からないかもしれません。命にかかわることなのです」

女は手をあわさんばかりだった。しかし、男は目をつぶって首を振った。

「その事情はわかります。といっても、そのお金をいただかないと、わたしの商売はつぶれ、家族ともども、夜逃げをしなければなりません。一家心中するほか、なくなるでしょう」

話しあっていたら、きりがない。心を鬼にしなければと、男は手をのばして札束を取ろうとした。女は泣きながらそれにすがりつき、持っていかないでくれとたのむ……。

この光景を窓のそとから眺めている、二つの影があった。人影と呼んでもいいものかどうかは、断言できない。彼らは、ゼフ惑星からやってきた宇宙人だったのだ。とくに目的があって、やってきたわけではない。つぎつぎと異った星を見物し、好奇心を満足させたかっただけのことだ。そのゼフ星人のひとりが言った。

「察するところ、あの机の上のものについて争っているようだ。あれはなんなのだろう」

「わからん。さっきから気になってならない。どうやら、なにかよほど重大で貴重なものらしいな」

「あの正体を調べずに帰ると、あとで頭にひっかかり、後悔することになるぞ。強引かもしれないが、ちょっと見せてもらおう」

ゼフ星人たちは、家のなかへはいっていった。紙幣を争っていた二人は、きもをつぶした。ピンク色の水玉もようのある、みどり色の大きな生物が、とつぜん現れたのだから。

かりに二人が色盲だったとしても、結果はやはり同じことだったろう。細い手足と太い胴。頭は大きく毛が一本もなく、金色をした目玉もまた大きかったのだ。

一目みて気を失うのも、当然だった。しかし、そんなことにおかまいなく、ゼフ星人たちは紙幣を手にとった。

「四角く薄いもので、表面にはこまかい模様がついている。それだけのことだ」

「どう考えても、貴重なものとは思えない。芸術品のたぐいでもないようだし、高価な物質から出来ているわけでもない」

「簡単に作れそうだ。ひとつ、複製機にかけてみるか」

ゼフ星人たちは、少しはなれた林のなかにとめてある宇宙船のなかにはいり、複製機にかけた。この装置は示された品物の成分を調べ、それと同じ組成、同じ外観のものを作りあげる性能を持っている。

「これで、同じものができたはずだ。はたして、これでやつらが満足するかどうか、ためしてみようじゃないか」

ゼフ星人たちは、ふたたびさっきの家に戻り、机の上に札束を二つ並べ、物かげから観察していた。

やがて、男と女は気をとりもどした。

「ああ、びっくりした。なにかとんでもないものを見たようだが……」

男はあたりを見まわしながら、立ちあがった。女も同じことを言った。

「あたしも。だけど、常識では考えられないことですわ。きっと、幻覚だったんでしょう。なんのあとも残っていないし」

そして、二人はさっきのつづきの、金についての議論に移ろうとした。あらためて机の上を見て、札束が二倍にふえているのに気がついた。

「いったい、これはどういうわけです。あなたがお出しになったのですか」

「いいえ」

首をかしげながら、二人は手にとった。灯にすかして見くらべたりしたが、紙幣にまちがいない。ゼフ星人の装置はきわめて精巧なもので、スカシやよごれまで同じに作りあげてしまうのだ。男と女は話しあった。

「どうしてこうなったのだろう。奇跡としか思えない」

「きっと、あたしたちをあわれんで、神がめぐんで下さったのでしょう」

「ちらと見たとたん気を失ったので、よく覚えていないが、あんまり神さまらしい姿じゃなかったようですがね。そんなことはともかく、ひとつをもらって帰りますよ。これで不渡りを出さずにすむというものです」

「どうぞ、どうぞ。うちの子の病気も、充分な治療をしてやることができます」

二人は争いをやめ、ほっとし感謝の表情を浮かべた。うれし涙もにじんでいる。いつまでも、信じられないような気分で札束をいじりながら……。

ゼフ星人たちも、宇宙船に戻ってから、ふしぎがっていた。

「どうもわからん。やつらは心から喜んでいた。あんな安価な、くずみたいな品なのに。実用性だって、まるでなさそうなのにな」

「まあ、わからなくても仕方ない。それぞれの星には、理解できぬ信仰や風習があるものさ」

「ところで、どうだろう。あんなに喜ぶことだし、成分の材料なんか、そのへんにあるものでたりる。大量に作って残していってやろうか」

「それもそうだな。希少元素や放射性物質を原料としなくてもいいし、複雑な精密機械のたぐいでないから、時間もかからない。あんなのは簡単だ」

ゼフ星人たちは複製機を動かした。たちまちのうちに、何千万枚といった数の紙幣ができあがった。

「これぐらいでいいだろう。そろそろ出発の時間だ。宇宙船で飛び立ち、空からまいてやることにしよう。住民たち、さぞ喜ぶことだろう」

「ああ、二度と来ることもない星だが、われわれの心にも、いいことをしてやったという思い出がいつまでも残る」

そして、彼らはその通りにした。

大犯罪計画

　おれがバーのカウンターでひとり酒を飲んでいると、少しはなれた席でつぶやきをもらす者があった。

「ああ、やっと出られた。しゃばはいいなあ。酒は飲めるし、うまい料理も食える。女の姿を眺めることもできる。もう二度と、あんな世界へは戻らんぞ」

　声の主は、中年の紳士だった。貫録もある。おれはその言葉を、敏感に耳にはさんだ。なぜなら、おれも同様、泥棒の罪で刑務所に入れられ、やっと釈放になったところなのだ。おれは親近感を覚え、話しかけた。

「あの、失礼ですが、わたしもそうなんです。泥棒をして、三年ほどはいっていました。いやなものですな。高い塀《へい》、鉄格子《てつごうし》……」

　相手もそれに応じた。

「ああ、それに変りばえしない食事。運動といえば、中庭を歩くぐらい。色気もなにもない。きみもそうだったのか」

「そうなんです。あなたは何年ぐらい、おはいりになったのですか」

「五年ぐらいだ」

「どんなことを、おやりになったのです」

「いや、過去のことは話したくない。問題はこれからの計画だ。不当に奪われた五年という年月を、ここで取りかえさなければならぬ。なあ、そうじゃないか」

「そうですとも……」

おれたちは意気投合した。肩をたたきあいながら、乾杯しあった。やがて男は言った。

「人のいないところで、飲みなおそう。ひとつ、大仕事があるのだ。手伝ってもらいたい。収穫はすごいぞ」

「いいでしょう」

おれは男を、自分のアパートへ案内した。ここなら、話のもれることはない。彼は言った。

「じつは、首相に毒を飲ませようというわけだ」

それを聞いて、おれは飛びあがった。

「まさか。冗談なんでしょう」

「そう思うかね」

ふざけている表情ではなかった。確信のある、落ち着いた口調だった。おれは、ふるえながら言った。

「しかし、毒殺してどうするんです。外国の陰謀ですか。革命でも起すんですか。いずれにせよ、そんな手伝いはできません。おろさせてもらいます」

「よく聞いてくれ。だれが殺すと言った。毒を飲ませるだけだ。顔面の神経と筋肉の力を弱める作用の薬だ。すなわち、口は開いたまま、典型的なだらしのない顔になる」

「なるほど。もし首相がそんな顔になったら、政界は大混乱ですね」

「そう、そこだよ。それから、おもむろに脅迫状を出す。治療薬がほしければ、金を出せとね。大金がはいることは、まちがいない。治療薬を独占していることが、こっちの強みなのだ」

男はポケットから、小さな二つのびんを出した。きっと黒っぽいびんのほうが毒で、白っぽいびんが治療薬なのだろう。おれは、念を押すように聞いてみた。

「それ以外に、なおす方法はないんですか」

「学者たちが集り時間をかければ、治療薬を作ることもできるだろう。だけど、関係者としては、一刻も早くなおしたがるだろう。金ですむこととなれば、そのほうを選ぶ」

「そうかもしれませんね。だが、どえらいことを考えついたものですな」

「犯罪というものは、大きければ大きいほど成功しやすいものだ。それなのに多くの連中は、小さな、くだらない、型にはまったことをやる。つかまえる警察のほうも、そんな犯罪なら手なれている。だから、すぐ発覚するのだ」

　おれは敬服した。小さな泥棒をやったことが、はずかしくなった。

「それで、どうやって金を受け取るんです。たいていの場合、その時につかまることになっているようですよ」

「心配するな。手ぎわよくやれば、毒を飲ませたのがわれわれだとは立証できないはずだ。その上、万全の策として、金は外国の銀行に送らせればいい。われわれは観光をかねて、その金を取りにゆく」

　彼の計画の説明は、自信と迫力にみちていた。聞いているうちに、おれもうまく成功しそうに思えてきた。なにしろ、大変な金が手にはいるのだ。それを考えると、期待でぞくぞくする。

「賭《か》けてみる価値がありそうですね。で、なにを手伝いましょうか」

「計画と指揮はわたしが受け持つ。きみは準備のほうをたのむ。たよりになる人員と、運動資金が必要だ。手配してもらいたい」

「やってみましょう」

おれは承知した。むかしの仲間をたずね、計画にひき入れ、また金を借り集めた。おれの説得には熱がこもった。一方、首相の日課なども調べはじめた。準備は着々と進行した。

しかし、ある日、おれたちが二人で相談していると、刑事がやってきた。警察手帳を見せられ、おれはがっかりした。だれか、おじけづいた仲間が密告したのにちがいない。

「ついに大金を得るのも夢と消えた。やれやれ、また逆もどりか。あの自由のない生活に戻らなければならないというわけか」

おれのため息にあわせ、男も言った。

「残念だ。単調な世界に連れ戻されてしまう。それに電気にかけられるのかと思うと、いやでたまらない」

「まさか、電気椅子《いす》だなんて。大犯罪かもしれないが、まだ実行してなかったんだ。死刑になることはないでしょう」

おれには、わけがわからなかった。しかし、やってきた刑事が口を出した。

「この人は病気なのです。とんでもない妄想《もうそう》をいだく症状で、五年ほど入院していました。いちおう、なおったとみとめて退院させたのですが、再発したのか、姿をくらましてしまった。家族からの捜索願が出たので、さがしていたのです」

その説明で、おれにも事態がのみこめてきた。道理で、平然としすぎていた。

「そうだったのですか」

「砂糖を小さなびんにつめて持ち出したらしいのですが、どういうつもりだったんでしょうかね。また入院し、電気ショックの治療を受けることになるのでしょう。さて、ところで、あなたもさっき、また逆もどりとか言いましたが、なんのことなのですか」

「いえ、なんでもありませんよ」

おれはあわててごまかした。ありのままをしゃべった場合、刑務所行きになるのか、笑いものになるのか、おれにはわからない。だが、ろくなことにならないのはたしかのようだ。ごまかせるだけごまかしたほうが賢明というものだ。

感情テレビ

「これがわたしの開発した、画期的なテレビです。これとくらべたら、いままでのテレビなど、古ぼけたがらくたです」

とエフ氏が言った。しかし、見たところは、これまでのものと大差ない。ちがいといえば、テレビの上部に、新型のアンテナがひとつ加わっている点ぐらいだ。

招待されて集っていた産業界の人、報道関係者などの来客たちは、それを見て聞いた。

「普通のカラーテレビと変りばえしないようですが、どこに特徴があるのですか」

「特徴なんて、なまやさしいものではありません。エレクトロニクスから、生理学、心理学、生化学に至る、あらゆる科学の高度に結晶したものなのですよ。これで視聴すると、番組に心から共感できるのです。いや、そのように作られているというわけなのです」

「まあ、自画自賛はそれぐらいにして、早いところ、その性能を知りたいものですね」

「ええ、そのためにおいでいただいたのです」

エフ博士は来客たちに、腕時計のようなものをくばり、手首につけるようすすめた。

「なんなのですか、これは」

「そのなかには各種の薬品がはいっているのです。そして、このテレビについている小アンテナからの電波によって、指示された薬品が手首の静脈内に注入されるのです」

「注射器なんですか……」

来客のなかには、警戒した表情になる者もあった。博士は説明をつけたした。

「いや、痛いことはありませんから、安心して下さい。その作用ですが、たとえば喜劇番組の時間とします。笑いを促進する薬品が注入され、テレビを見ている人は大声で笑うということになるのです」

「しかし、薬の作用で笑うのでは、あまり楽しいものではないでしょう」

「いや、そうではありません。人工的でもなんでも、笑えばおかしくなるものです。悲しい時には涙を流すことで、さらに悲しみが高まるものです。それと番組との相乗作用で、いままでの二倍いや四倍は楽しめることになるのです」

「そういうものですかね」

「なにはさておき、実際にごらんいただきましょう。百聞は一見にしかずです」

博士は用意しておいた、ビデオテープ装置のスイッチを入れた。画面には、テレビドラマがうつりはじめる。同時にアンテナからは、番組進行にあわせて指示電波が発信され、各人の腕時計型の装置へと送られる。

それによって、喜怒哀楽などさまざまな感情を高める薬品が、体内に注入されるのだ。なお正確にいえば、薬品が作用を示すまでの時間を計算に入れ、指示電波はドラマの進行より少し先んじて出されている。

見る者はみな画面にひきつけられた。悲しい場面では胸がきゅっとなり、しぜんに涙が出てくる。感情ばかりでなく、画面にお花畑がうつる時には、薬品が嗅覚《きゅうかく》神経を刺激し、花のかおりを感ずる。食事のシーンのあとでは、満腹感をおぼえる。

主人公がなぐられる時には、ながめる本人もちょっとした痛みを感じ、ラブシーンではしぜんに胸がときめき、幕切れには、いくらかの感銘を含んだすがすがしい気分になった。

みなは感心して言った。

「すばらしいとしか言いようがありません。これを作られたことに、心から敬服いたします。しかし、この感心した気分、まさか薬品のせいじゃないんでしょうね」

「そんなことはありませんよ。わたしとしても、薬品の力で尊敬されたって、少しもうれしくはありませんからね」

博士はとくいげに笑った。客のひとりが質問した。

「なま放送の時は、どうするんですか」

「フィルムやビデオの時のように、完全に同調させることはできません。しかし、スポーツの実況など、やま場で興奮させ熱狂させることはできましょう」

「なるほど」

「将来は装置をうんと小型化し、カプセルの形で体内にうめこみ、指示電波で弁が開き、薬が出るようにもできましょう。それから説明し残しましたが、一日に二回は中和剤が出るようになっていますから、あとに薬の副作用はまったく残りません」

「なるほど……」

来客たちは、ため息をつくばかりだった。

かくして、この新性能のテレビは生産に移され、好評のうちに急速に普及していった。いままでのにくらべ、はるかに臨場感が強烈で、いちど味をしめたら、このテレビでなければならなくなってしまうのだ。

主人公とともに泣き、笑い、恋をし、冒険ができるのだ。もっとも、当り前のことだが、主人公が死ぬシーンで視聴者が死ぬということはない。その時は悲しみの気分になる。

しかし、ある日のこと、思いがけない事態が発生した。テレビ局の回路に故障がおこったのだ。番組と、薬品への指示電波とが一致しなくなった。

画面ではコメディーが演じられている。正常ならば、視聴者が薬品の作用で大笑いしなければならない。だがその逆で、だれもかれも、胸をつまらせて泣いている。

「バナナの皮ですべってころぶなんて、なんとお気の毒なんでしょう」と声をあげる者もある。

失恋の場面では、なんの関係もないのに焦《こ》げくさいにおいがして、足には、けとばされたような痛みを感じた。

不幸な人を扱ったドキュメンタリー番組になったが、依然として故障はなおらず、だれもかれも腹をかかえ、げらげらと笑いころげる。

「あの哀れさったらないやね。おかしくって、おかしくって……」

なにもかも大混乱の状態だった。やがて番組が中断され、局の人が画面にあらわれておわびをいった。

「申しわけございません。故障が発生中です。修理が完了するまで、しばらく休ませていただきます」

その時は、視聴者の体内には怒りを促進する薬品が流れており、電波がとまったため、その作用が持続することとなった。

「なんだ、いまの局のやつは、顔つきが気に入らん。態度もよくない。けしからん」

どの視聴者も怒りの感情にもえており、腹のなかはにえかえる気分なのだ。だが、画面が消えたため、そのほこさきはテレビ局にむけられる以外になかった。

人びとは外へ出て、テレビ局へ押しかけ、なにもかもさんざんにぶちこわした。そのさわぎのためか、指示電波が変り、怒りの薬品は消えて、すがすがしさの薬品にかわった。

みなはいっせいに叫ぶ。

「ああ気持ちがいい。胸がすっとした」

悲しむべきこと

クリスマスの夜。大きな邸宅に住むエヌ氏が、ラジオの音楽に耳を傾けながらひとり酒を飲んでいると、となりの部屋でなにか物音がした。

そっとのぞいてみると、暖炉のなかから、ひとりの男が現れた。赤い服に赤ずきん。長ぐつをはいて大きな袋を背にした、白いひげの老人だった。あたりを見まわしている。

サンタクロースにちがいないとエヌ氏は判断し、声をかけた。

「よくいらっしゃいました。ごくろうさまです。しかし、わが家はけっこうです。小さい子供もいることはいますが、うちはまあ、お金持ちのほう。どうせなら、貧しく恵まれぬ子供のいる家をおたずね下さい」

すると相手は言った。

「ことしは例年とちがうのだ。金のありそうな家を目標にやってきた」

「それはまた、なぜです」

「金をとるためだ。物わかりのいい人らしくて気の毒だが、仕方ない。さあ、金を出せ」

そして、拳銃《けんじゅう》らしきものをむけた。エヌ氏はきもをつぶした。

「いったい、どういうことなのです。あなたはサンタクロースなのですか、泥棒なのですか。どっちなのです」

「両方だ。本物のサンタクロースであることは、少しもからだをよごさず煙突からはいってきたことでもわかるだろう。空を走るトナカイのソリは、そとにおいてある。また、泥棒であることは、こうして金を要求していることでわかるはずだ」

たしかに服も袋もよごれていない。人間だったら不可能なことだ。カーテンのあいだからそとをのぞくと、ソリをひいたトナカイたちが空中に停止していた。エヌ氏はそれをみとめて言った。

「本物のサンタクロースのようですね。お目にかかれて光栄です。しかし、なんで強盗まがいのことをなさるんです。なにかお困りのようですな。事情によっては、お金をご用立てしましょう」

「ありがたい。では、すぐ下さい」

「まあ、わけを聞かせて下さい。こちらの部屋にどうぞ。お酒もあります」

エヌ氏は案内し、椅子《いす》をすすめた。サンタクロースは腰をおろし、話しはじめた。

「じつは、ご存知のように、わしは昔からクリスマスの夜、かわいそうな子供たちに、ずっとおくり物をとどけつづけてきた。みな喜んでくれている」

「その通りで、ありがたいことです。あなたは人類の心のともしびです」

「しかしだ、そのためには金のかかることを、理解してもらわねばならんよ。喜んでくれるのはいいが、金のことはだれも考えてくれない。わしのたくわえは、とっくのむかしになくなった。つぎには家具や装飾品を処分して、おくり物を買う金とした」

「そうとは知りませんでした」

「それからは借金だ。北のはてにあるわしの家を抵当にし、金を作った。かえすあてもなく、利息がたまってしまった。もうどこからも借りられないし、返済を強硬に迫られている」

「ああ、うかがっていると、わたしの胸が痛くなってきます」

「もはや万策つきた。あしたになると、わしは家から立ちのかねばならぬ。ソリは競売にされ、トナカイたちは肉屋に持ってかれる。こうなったら、背に腹はかえられない。さあ、金を出せ」

「もちろん出します。心からご同情しご協力いたします。しかし、それにしても、な

んということだ……」

エヌ氏はため息をつき、しばらく考えこんで、さらにつづけた。

「……まったく、あなたのようなかたを、そんな立場にしてしまうとは、許しがたいことだ。なげかわしいことです。義憤を感じます。胸のなかが煮える思いです」

歯ぎしりをするエヌ氏を、サンタクロースは少しもてあました。

「わしは早くお金をいただきたいだけです。そう大声で興奮なさることはありません」

「いや、これが怒らずにいられれますか。世の中をごらんなさい。だれもかれも、あなたをだしに商品を売りまくっている。わたしはよく知っています。あなたのためにひとのいい点につけこみ、無断で肖像権を使っているのです。本来なら、あなたのために積み立てておくべきものです。それを正当に取るだけで、かなりのお金がはいります。そうすべきだ」

「そんな方法があるのなら、助かります。で、どこへ行けば金がもらえますか」

「弁護士をたのんで裁判にかければいいのですが、それでは急場のまにはあいません。今回は、あなたをだしにいちばんもうけたところから取るべきです。Gデパートがいい。あそこは最大のデパートで、このクリスマス・セールでは大変な売り上げを得ました」

「そんなところがあったのですか」

サンタクロースは身を乗り出し、エヌ氏はうなずいた。

「そうですよ。今夜そこの金庫においりになれば、大金を手にすることができます。そうなさい。遠慮することはありません。あなたは報酬として、当然それをもらう権利があるのです」

「お言葉に従おう。そのほうがわしも良心にせめられないですむ。なんだか勇気がわいてきた。よく教えてくれた」

エヌ氏はGデパートの場所を地図に書いて渡し、警備員への注意も教えた。

「それから、金庫を破る道具かなにかお持ちですか」

「ああ、いちおう用意してきた」

サンタクロースは背中の袋をたたいた。金属製の道具の音がした。準備はととのえてきたらしい。エヌ氏はそとまで送って激励した。

「しっかりおやり下さい。ご成功を祈っておりますよ」

「ありがとう」

サンタクロースはむちを鳴らした。トナカイのひくソリは、夜空へ浮き上がった。

そしてエヌ氏に教えられたGデパートのほうへ進んでゆく。しのびこむのがうまいサンタクロースだから、きっと成功するだろう。逃げる時は、いかに道路が閉鎖されても心配ない。エヌ氏はいつまでも見送っていた。

「いいことをした。これでサンタクロースは、当分お金には困らないだろう。貧しい子供たちも喜ぶ。それに、わたしだってありがたい。これで業界第一のGデパートが没落してくれれば、わたしの経営するデパートが、かわって一位にのしあがれるというものだ」

時の人

カメの背に乗り、浦島太郎は、いま、竜宮から帰るところだ。乙姫《おとひめ》さまからもらった玉手箱を、大切に抱えている。陸にむかって海の上を進むカメに、太郎は話しかけた。

「どうなっているのだろうね、わたしの故郷は」

「さあ、わかりませんね。なにしろ、竜宮でいい気になって遊んでおいでのあいだに、何百年とたってしまったのですから」

カメが答えた時、金属的な轟音《ごうおん》を発するなにかが、頭の上を飛び去った。

「なんだ、いまのは。耳が痛くなるような音だ。銀色をしていたが、鳥だろうか」

「あんなに大きく、速い鳥なんかありませんよ。おそらくだれかが作ったものでしょう」

「なるほど、長い長い年月がたってしまったのだからな。むかしの知りあいは、みな死んでしまっているわけだな。わたしを覚えていてくれる者もない。世の中はすっかり変ってしまったことだろう。わたしは時代ずれした頭をもてあまし、みなの無視のなかで、孤独と寂しさのうちに、これからの余生をすごさねばならぬのだ」

「帰るのがおいやでしたら、引きかえしてもいいんですよ」

「いや、やはり帰ろう。故郷を見たいという人間の思いは、なによりも強く、また理屈では割りきれないものなのだ」

「そういうものですかね。あ、もうまもなく海岸です。ゆっくり別れをおしみたいのですが、この水の味とにおいはどうにもたまりません。すぐ戻らせていただきます。では、さようなら」

カメはそそくさと帰っていった。

かくして、浦島太郎はなつかしい故国の海岸にたどりついた。彼は出かけた時と同じように若く、腰みのをつけた服装だった。

昼間のこととて、その異様なかっこうは、たちまち人目をひいた。近寄ってきた者のひとりが言った。

「テレビ映画のロケなんでしょう。何チャンネルで、スポンサーはどこですか」

浦島太郎は目を白黒させた。使われている単語がさっぱりわからなかったのだ。すると、ほかの人たちが言った。

「そうじゃありませんよ。この人は、そこまでなにかに乗ってきた。最近はやりの、なにかに乗って海をひとりで横断するというたぐいです。予定が狂って、こんなところへ着いてしまったのでしょう」

「軽々しく口をききたくない気持ちは、わかりますよ。まあ、待っていらっしゃい。いまわたしが、テレビ局と新聞社へ連絡してあげます。もう三十分もすると、マスコミ関係者が押しかけてきますよ。しかし、その前に、わたしに最初の写真をとらせて下さい。はい、パチリ」

太郎はあたりのただならぬようすに、おどおどしはじめた。それを見て、またべつのだれかが言った。

「どうも、みなさん人がいい。この人物は挙動不審です。わたしはスパイじゃないかと思う。潜水艦で近海までやってきて上陸するというのは、映画でご存知のように、よくある手です。スパイでないとすれば、亡命者。いずれにせよ密入国者です。これは警察へ知らせるべきです。わたしが通報してきます」

そのほか、さまざまな説が出た。

「あんなに目立つ、変な服装のスパイがあるものですか。人さわがせな若者の冗談ですよ。あまりさわぐことは、かえって助長し、いい気にさせるだけでしょう」

「冗談にしては真顔じゃありませんか。精神異常ですよ。連絡するなら病院です」

「まあ、静かに静かに。よく本人の話を聞こうじゃありませんか」

静かになるどころか、さわぎは大きくなる一方だった。集った報道関係者が、先を争って話しかけてくる。太郎がやっと口を開くと、口調の古風なことと、内容の幻想的なこととで、周囲の歓声はさらに高まった。

これこそ、みなが待っていた男だ。軽薄で新しがりやで、現実的なやつらなら、はいて捨てるほど存在する現代なのだ。わけもわからないまま、浦島太郎には殺人的な日課が押しつけられた。

朝はどこかのテレビ局のニュース・ショーに出演する。アナウンサーが聞く。

「その箱のなかみはなんですか」

「わたしも知りません。これは、あけてはいけないといわれているのです」

「好奇心が刺激されますね……」

そのあとは、警察で取り調べを受ける。

「入国の目的はなんなのですか」

「入国ではありません。帰国ですよ。目的は帰国だったのです」

取り調べは進展せず、次回へと持ち越される。それがすむと、こんどは神経科医の診察ということになる。

「あなたは、海の底で何百年も暮していたという妄想《もうそう》にとりつかれている。テレビの見すぎとも思えない。ふしぎな症状です。ゆっくり研究させていただきたい。いずれは脳波なども調べさせて下さい……」

夕方になっても解放されない。テレビ・コマーシャル出演の交渉、対談、グラビアのページの写真撮影などに引きまわされる。

そのあいまをぬって、手記の執筆をたのまれ、宴会があり、税務署の人がいままでの納税について聞きに来る。寄付をたのまれ、政治運動に署名をたのまれ、親類と称するやつがたずねてくる。眠ろうとすると、夜のテレビ局に連れてゆかれ、歌をうたわせられる。

たえがたい孤独感を予想し、その覚悟はしていたのだが、現実はその逆。たえがたい、そうぞうしさだ。

最初の三日間は無我夢中ですごし、つぎの三日は周囲の歓迎への義理ですごし、そのつぎの三日は気力をふりしぼってすごした。十日目になり、浦島太郎はついに悲しげにつぶやいた。

「もうだめだ。疲れはてて気力もつきた。余生の数十年分が、この十日間で費やされてしまったようだ。わたしは精神的に廃人になってしまった。変なものを食い、濁った空気を吸ったので、内臓も老衰した。乙姫さまからもらった、この玉手箱をあけてみるとしよう。なにか救いがもたらされそうな気がする」

期待しながら箱をあけた。なかをのぞくと、カメがはいっていた。カメは話しかける。

「わたしは、あなたを送ってきたカメの子供です。好奇心をいだいてもぐりこんだのですが、驚きましたね。なんというひどいところだ。もうだめです。帰ります。ごいっしょにどうです。小さいけれど、泳ぐ力はおやじに負けないつもりです。おつかまりになれば、引っぱっていってあげますよ」

浦島太郎の頭には、なつかしい竜宮での日々の思い出がよみがえった。彼が同行を承知したことはいうまでもない。

善意の集積

気の毒な少女がいた。うまれた時から、ずっと目が見えないのだった。しかし、それほど不幸でもなかった。彼女はすなおないい性格なので、周囲の人がみな親切にしてくれたのだ。

法律すれすれにかせぐ男も、法律を無視して生活する若者も、男をだまして金を巻きあげる女も、この少女にだけは親切にした。においのいい花や、おいしいお菓子をおみやげにあげたり、なんにもない時は、肩をたたいてやさしく声をかけてやる。

少女はそのたびに、心からお礼を言った。

「ありがとう。うれしいわ」

少女は人びとの善意の、やさしさの焦点にあった。みなの好意をそっと受けとめ、投げかえす、美しい鏡のようなものだ。だから、みなはこのけがれのない少女を、いっそう大事にするのだった。

ある日のこと、少女は遠くに悲鳴を聞いた。何人もの悲鳴で、強い驚きの感情がこもっている。そして、その悲鳴はあげ潮のように、こっちへと近づいてくる。少女は言った。

「なにが起ったの」

「みてきてあげるよ」

そばにいた男は、その方角へとかけだしていった。しかし、いくら待っても戻ってこない。悲鳴の群れに巻きこまれてしまったのだろうか。

その少女はすこし心配になり、手さぐりで道ばたへ出てみた。なにかの近づいてくるけはいがする。彼女は特有の勘でそれを感じた。

事実、それは近づきつつあった。見たこともない生物。高さは人間と大差ないが、足が四本あり、手もまた前後左右に一本ずつで四本、吸盤のようなものがついている。頭は球状で、とんがった口がある。色はまっ黒で、大きな目が銀色に光っている。

普通の人がひと目みたら、悲鳴をあげて気を失うのも当然だ。しかし、この少女にはそれがわからない。彼女は逃げなかった。敵意らしきものを感じなかったせいでもある。危険な相手とは思えなかった。

彼女は立って待っていた。その怪奇な生物は近づいてきて、おぼえたての、たどたどしい言葉で言った。

「わたしはポプ星から来ました。こんにちは」

その変な口調を笑ったりせず、少女はいつものあどけない声で答えた。

「こんにちは。だけど、ポプ星って、どこにあるの」

「星のひとつですよ」

しかし、少女は星をみたことがなかった。

「星って、なあに」

「夜になると、空いちめんに光って散っているじゃありませんか。そのひとつですよ」

「きれいでしょうね。さわってみたいわ」

「お望みならさわらせてあげますよ。だけど、その前に、ちょっとお力をおかりしたいのです」

「あたしにできることなら」

「できますよ。おたずねすることに、答えていただくだけでいいのです。これを持ちながら、お願いします」

それは小型で高性能の、うそ発見器。ポプ星人は、自分はこの地球という星の住民の調査に来たのだと言った。住民の性格が平和的なものか、警戒すべきものなのかを知るためにやってきた。それなのに、みな倒れてしまって聞きようがなく困っていた。だが、やっとあなたにめぐりあえたのだと説明した。

目の見えぬ少女は答えた。みんないい人ばかりよ。おだやかで、やさしくて、いやな思いなど味わったことがないわ。

ポプ星人は、うそ発見器の目盛りを眺めながら質問をし、答えを聞いてうなずいた。本当にそのようですね。平和的のほうのリストにのせましょう。地球に対しては、なんの処置もとらないように報告します、と。それから協力に感謝した。

「おかげで、仕事がとても早くすみました。そのお礼に、わたしたちの星に連れていってさしあげましょうか」

「ええ……」

あたりの人びとはみな気を失っており、危いからよせなどと注意する者はなかった。人を信ずることしか知らない少女は、星にさわってみることを望んだ。

もっとも、ポプ星人もべつに凶悪ではなかった。だまして連れていって、動物園に入れようとも考えなかった。善意から出発したお礼のつもりなのだった。

少女は親切に扱われ、ぶじにポプ星へと運ばれた。また、星の住民たちは彼女を歓迎した。手足が二本ずつしかない異様な生物の少女を、住民たちは心からもてなした。

少女は平和的な星の住民と判明しているのだし、それに、彼らは外見によって好ききらいをきめない性格だったのだ。

「ここのみなさんも、いい人たちなのね。あたし、目が見えなくて本当に残念だわ」

「そんなことなら、お安いご用です」

住民たちは少女の願いにこたえて、目を見えるようにしてあげた。その程度のことは、ポプ星の進んだ科学力をもってすれば、簡単なことなのだ。

少女の目ははじめて光を感じ、そとの光景にふれることができた。ずっとあこがれていた、眺めるという行為。あたしは見えるのだ。色がわかり、さわらずに形がわかるのだ。少女はうれしくなった。

ピンク色をしたポプ星の草。とんがったビル。まっ黒な人びと。なにを見ても楽しかった。これが見える世界なのだ。しかし、やがて少女に悲しみがおとずれてきた。視力を得たことによって、自分の姿がまわりの人たちにくらべ、あまりに異様であることを知ったからだ。

彼女は恥ずかしさで、ため息をついた。その表情には、いままで浮かんだことのなかった憂《うれ》いのかげがあらわれ、それは濃くなる一方だった。

ポプ星人たちは、彼女に元気のなくなった理由をただし、整形手術をほどこした。

この星の高度な科学力では、これまた容易なことだった。それは成功し、彼女はひとなみのからだになれた。すなわち、まっ黒で手が四本、足が四本の標準の姿になれたのだ。

善意の人たちにとりかこまれ、彼女は楽しいみちたりた日々をすごした。しかし、地球の人のことも忘れられない。地球にもやさしく親切な人がいるのだ。

彼女は地球に帰りたいと言った。ポプ星人はめんどうがりもせず、宇宙船にのせ、その望みをかなえた。

そのあとのことは、くわしく記すにしのびない。彼女が世をはかなみ、みずからの命を断つまで、三日とかからなかったのだから。

黒い棒

むし暑い気候の、南方の奥地。その村落は、ジャングルにかこまれた平地にあった。女や子供をまぜて、五十人ばかりが住んでいる。老人はいなかった。老人になる前に、病気にかかるか、猛獣にやられるか、毒蛇《どくへび》やワニにかまれるかして死んでしまうのだ。文明のまったく及んでいない地方だから、それは仕方ない。

草の葉で屋根をおおっただけの小屋のなかで、酋長《しゅうちょう》のボギは目をさました。起床したといっても、歯や顔を洗うわけでなく、服を着がえるわけでもない。寝る時も起きている時も、ほとんどはだかの生活なのだから。

ボギがくだものを食べていると、若者のひとりがやってきて言った。

「動物つかまえに、ジャングルのなかへ行った。すると、銀色の大きな丸いものがあった。そのなかから、緑色の人間がでてきた。わたし、つかまえて連れてきた」

「本当か」

ボギはふしぎがった。人間なら、自分たちのように、黒ずんだ褐色をしていなければいけない。もっとも、白い人が遠くにいるといううわさは、聞いたことがある。しかし、緑色とは……。

本当かどうかは、見ればわかることだ。ボギは小屋を出て、眺めた。そして、現実にそこにいることをみとめた。銀色のぴったりした服を身につけているが、顔や手はたしかに緑色だ。感心しているボギに、若者が聞く。

「こいつ、どうするか。珍しいから、首を切って、小さくしてとっておくか」

「うむ。それもいいな。いや、待て。占い師を呼べ」

前例のないことは、占ってからにしたほうがいいのだ。占い師がやってきた。草の汁で顔を毒々しくぬりたてている。なにか妙なにおいのするものを燃やし、おおげさな呪文《じゅもん》をとなえ、さんざん祈ったあげく、酋長のボギに言った。

「この人、神の使い。もてなして帰すのがいい。占いにそう出た」

「そうか……」

ボギは、もてなしをするよう命じかけた。しかし、その時、その緑色の人は言った。

「もてなしてくれないでいい。わたしは困っている。ある物質がほしい」

声は口からでなく、首につり下げられた小さな箱から出た。高性能翻訳機なのだが、ボギにはそうとわからない。しかし、神の使いならそれぐらいのことはするだろうと、べつに驚きもしなかった。

「どんなもの、ほしいのか」

「すきとおった石で……」

会話がくりかえされ、水晶のことと判明した。ボギは、それのある洞穴の場所を知っていた。若者を走らせて取りにやると、やがて、両手にいっぱいかかえてきた。ボギはそれを相手に渡して言う。

「これでいいか」

「充分です。これで故障がなおせるし、宇宙の旅をつづけることができる。ご親切は忘れない。お礼になにをさしあげようか」

「べつに、欲しいものはない」

ボギは酋長で、なんでも持っている。自動車やテレビやクーラーなどという物を知っていたら欲しがったかもしれないが、彼は、そんな物を空想したことすらなかった。

「しかし、それではこっちの気がすまない。こうしてほしいとか、こうなってほしいとか、いつも考えていることはないか。それをやってあげよう。なんでも言いなさい」

ボギはしばらく考えてから言った。

「世界を支配したい」

　相手は、いささか驚いたようだった。

「世界ですって。そんなことは、おやめになったほうがいい」

「望みを言えというから、言ったのだ」

　ボギの言う世界とは、このあたりをもう少し広くという意味だ。しかし緑の人は、その言葉どおりに解釈してしまった。

「えい、仕方ない。うそつきと思われるのもしゃくだし、約束は約束だ。そのかわり、どうなっても知らないぞ。さあ、これをあげよう……」

　そして、腰に下げていた一本の黒い棒のようなものを手にした。ボタンを押すと、強い光線がほとばしる。たちまちジャングルのなかに、一筋の道ができた。木が消滅してしまったのだ。

　ボギはそれを受け取り、ためしに、遠くの山の頂にむけてボタンを押した。一瞬のうちに、山頂のその部分が砕け散った。

「簡単ですから、使い方はもうおわかりでしょう。それから、もうひとつあげます……」

　緑の人は乗り物に戻って、なにか持ってきた。それは小型ヘリコプター状のもので、背中につけると空中を自由に飛ぶことができる。使用法はやはり簡単で、しかも安全。ジャングルで木から木へ飛びうつっているボギの運動神経は、すぐにそのこつを覚えた。

「エネルギーは半永久的にもちます。この二つをうまく使えば、世界を支配できるでしょう。では、わたしはこれで……」

緑の人は別れのあいさつをした。必要な資材が、こうたやすく手にはいるとは思わなかった。大助かりだ。もっとも、そのかわり隕石《いんせき》破壊銃と空中飛行器をやってしまったが、予備があるからかまわない。しかし、やつは本当に世界を支配するつもりなのだろうか。まあ、そんなことは、どうでもいい。二度と来ない惑星のことなんか、かまってはいられない。あとは野となれだ。緑の人は、もらった水晶で銀色の乗り物をなおし、飛びたっていった。

ボギのほうは、さっそく実行に移してみた。使用を待つ必要など、少しもない。空を飛べるのだ。あこがれていた鳥になれたのだ。飛びながら、気がむくと黒い棒のボタンを押す。光が当ると、なんでもこなごなになる。ちょっと面白い遊びだった。

やがて、海の上へ出る。大きな船が進んでいた。ボギは船というものを知らず、棒をむけてみた。一瞬のうちにこわれて沈む。

そのうち、銀色の大きな鳥、すなわち飛行機の編隊がむかってきた。ボギはそれをもうちおとした。なかには翼の下から、なにかを発射したものもあった。ミサイルなのだが、ジャングルのなかで鳥や猛獣を追っているボギの視力はよく、神経はすばやい。ミサイルはボギに近づく前に、空中爆発をおこした。

海を越えると、灰色で四角く大きなものの並んでいるのが見えた。それが高層ビルの密集した都会とは、ボギは知らない。だが、なにか不自然で、なにか邪悪で、わざわいのいっぱいつまったもののように思えた。ボギの長年の勘のためだ。これが鋭いからこそ、酋長にもなれたのだ。彼はその衝動に従い、ためらうことなく黒い棒をむけ、ボタンを押した。

なぞの青年

都会のある一画。そのあたりには住宅がぎっしりとたてこみ、住宅でないところは道路で、自動車がたえまなく走っていた。したがって、そのへんの子供は遊ぶ場所がなく、日当りの悪いせまい部屋のなかで、だまってテレビをひとり眺めていなければならないのだった。

そこへ、ひとりの青年があらわれた。地味な服装で、おとなしく、まじめそうだった。彼は通りの窓ごしに、子供に話しかけた。

「このへんには、きみたちの遊び場はないのかい」

「うん、ないんだよ。鬼ごっことか、かくれんぼとか、ナワとびとかを、ぼくたちは、だれもやったことがないんだよ」

「かわいそうに。小さな公園でも作ってもらえばいいのに」

「おとなの人たちだって、そう考えているよ。だけど、お役所に交渉してみたが、だめなんだって。土地が高いし、そんなお金の出どこがないんだってさ」

子供は、あきらめきっているようだった。それに対して、青年は言った。

「よし。ぼくが作ってあげよう」

「本当なの。みんな、どんなに喜ぶだろうな。でも、そんなことが起るのは、テレビのなかのお話の場合だけじゃないのかな」

「いや、本当だとも」

うそではなかった。青年はどこからかお金を持ってきて土地を買い、地面をならし緑の木を植えた。ブランコや砂場もそなえつけ、安全設備もととのえた。そして集ってきた子供たちに言った。

「これからは、ここはきみたちの世界だよ。いつまでも自由に遊べるんだよ」

「わあ、うれしい……」

子供たちは歓声をあげ、日光をあびながら思いきりとびはね、かけまわった。ついてきたおとなたちも感謝した。

「なんという、ありがたいことでしょう。お名前をお教え下さい。それを公園の名前とし、いつまでも忘れないようにします」

しかし、青年は少しも得意そうな表情をせず、手を振って、ひかえめな口調で言った。

「名前などどうでもいいことです。当り前のことをしただけですから。みなさんに喜んでいただければ、それでいいんですよ。お忘れになって下さい」

だれかが写真をとろうとしたが、青年はいつのまにかいなくなっていた。みなは、奇跡をおこす魔法使いじゃないかなどと、話しあうのだった。

また、その青年は、身寄りのない老人のところへあらわれたこともあった。

老人の一生は働きつづけだった。若い時はよく働き貯金もできたのだが、それは物価の変動で消えてしまった。としをとった今では、食べてゆくだけがやっと、もうからだも弱っている。

「生きているあいだに、一回でいいから、ゆっくりと旅行をしてみたいものだ。しかし、それもむりな望みだな」

と悲しげに言いながら暮していた。そこへやってきた青年は、こう話しかけた。

「はい、これが旅行周遊券の切符のつづりです。こっちは、予約旅館の前払いをしたという領収書。これは、こづかいのお金です。お好きなように、楽しんでいらっしゃい」

当然のことながら、老人は信じかねるという表情だった。

「からかっていらっしゃるのではないようだ。ありがたいことです。しかし、見知らぬあなたから、そのようなものをいただく筋合いはありません」

「とおっしゃっても、もう取り消すわけにはいきません。こうお考えになったらどうでしょう。一生をまじめに働いたあなたには、せめてそれぐらいのことはなさる権利があるはずです」

老人は、涙ぐみながら喜んだ。

「そうですか。では、お言葉に甘えさせていただきましょう。ああ、夢のようだ。これで、思い残すことなく死ねます。あなたは、現代のキリストのようなおかただ……」

「とんでもありません。ただの平凡な人間ですよ。なすべきことをしたまでのことです。では、いいご旅行を……」

青年は、老人のくどい感謝の言葉がはじまる前に、静かに帰っていった。

そのほか、その青年はいろいろなところにあらわれた。

交通事故で死んだ人の遺族の家にあらわれ、お金を渡したこともあった。ひき逃げされたので、訴訟を起して金の請求をしようにも相手がわからず、生活に困っていた人たちだ。

海外に流出する寸前の、古い美術品を買い戻し、博物館に寄付してだまって帰っていったこともあった。崩れかけ、早く手を打たないとだめになってしまう遺跡の修理代を出したこともある。資金がゆきづまり、閉鎖する以外に方法のなくなった保育所や恵まれぬ人の施設に、そっと金を置いていったこともあった。このたぐいのことは、あげればいくらでもある。

青年の訪問を受けた人たちは、心からありがたがると同時に、あの人はどんな家のかたなのだろうと考える。大金持ちのお子さんなのだろうか。それとも……。

その先は考えつかない。自分のことには金を使おうとせず、世の中のためにつくしている。えらい人だ。それにしても、よくお金がつづくものだと。

しかし、いつまでもつづくというわけにはいかなかった。やがて、その行為も終る時が来た。最初に気がついたのはその青年の上役、すなわち税務署長だった。彼は青年を呼びつけて言った。

「おい、きみ。きみをまじめな青年と信用し、金銭を扱う重要な地位につけた。それなのに、それを裏切り、気の遠くなるような額の使い込みをやった。なんということだ。いったい、どんなことに使ったのだ」

「じつは……」

青年は正直に答えた。署長はあきれて大声をあげた。

「けしからん、税金とは善良な国民が、政府を信頼して納めたものだ。それを議会にも官庁にも無断で、勝手にそんなばかげたことに使うとは……」

「いけませんでしたか」

「当り前だ。おまえは頭が狂っているんだ」

「わたしが精神異常で、ほかの議員や公務員たちは、みな正気だとおっしゃるのですか」

しかし、署長はそんなことに答えるどころではなかった。この不祥事の処理をしなければならない。関係者は表ざたにするのをいやがり、むりやり青年を精神異常にしたて、病院に送りこんでしまった。

特許の品

野原のまんなかに、奇妙な物体が発見された。長さ二メートル。外側の丈夫な、金属製の円筒状のものだ。こんなところへ、わざわざ捨てる人があるとは思えない。空から落下したのではないかと、想像された。

しかし、外側に書かれてある記号のようなものは、だれにも読むことができなかった。こんな文字を使っている国は、どこにもないのだ。したがって、地球外からきたものかもしれないと考えられた。その物体は注意して研究所に運ばれ、決死的な覚悟の学者たちが調べにかかった。なにがなかから出現するかわからず、また大爆発をしないとも限らないのだ。

苦心していじっているうちに、一端が開いた。なかにはなにかがはいっている。引っぱり出してみると、一枚の紙だった。もちろん、地球上の紙とは組成がちがっていたが、白く薄いものだ。図面といった感じで、たくさんの書き込みもある。のぞきこみながら、学者グループのひとりが言う。

「見たところ、設計図のたぐいらしい」

「そのようだな。だが、どこの星の、なんの設計図だろう」

だれにもわからなかった。他星のなにかの設計図が、そう簡単にわかるはずがない。

一方、物体のほうの調査もなされた。推進や誘導の装置のついていない点から、地球めがけて送られてきたものでなく、なにかのかげんで流れついたのだろうと推定された。

不明のままというのも気になる。そこで設計図に従って製作してみることにした。問題解明へのひとつの手がかりだ。簡単には進行しなかったが、作っていくうちに、文字の意味するものが、しだいにわかってきた。おぼろげながら文字がわかると、図面への理解も深まる。かくて、少しずつはかどっていった。どうやら、一種の電気製品のようだ。

説明文によると、快楽装置のようなものらしい。やがて、試作品が完成した。しかし、さすがにすぐ使ってみる勇気はない。他星では快楽でも、地球人には苦痛かもしれない。動物実験を重ねたあげく、決死的な人物が志願した。使用法に従ってやってみる。

「おい、気分はどうだ」

とまわりで聞くと、その長椅子《ながいす》状の装置の上に横たわった当人は答えた。

「なんともいえない、いい気分です。いままでに味わったことがありません。電流が手から首へ、首から足へとさまざまに流れ、微妙にしびれるのです。美女と抱きあいながらいい音楽を聞き、酒に酔ってうまい物を食べている。それを何倍かにしたようなもの、といった感じです」

「生命に別状はないようだな」

「あ、スイッチを切らないで下さい。もっとやらせて下さい」

「そうはいかないよ」

くわしい診察がなされたが、悪影響は発見されなかった。麻薬類とちがって、有害な副作用もないのだ。何人もが試みたが、みな、たとえようもない快楽に喜んだ。

「なるほど、こういうものだったのか。悪くない、新娯楽用品だな」

「で、これからどうする」

「大量生産して、販売したらどうだろう。みなも喜ぶし、利益もあがる」

だれも異議がないようだった。研究所を拡張できる。それどころか、効果が報道されると、使わせろという声が大きく、応じないわけにいかない勢いだ。

しかし、その時に報告があった。図面の文章をくまなく解読したら、最後のほうに、特許権所有の文字があったという。

「となると、勝手に作るわけにもいかないわけか」

「しかし、どこの星の発明品ともわからんのだ。地球で独自に開発したことにすればいいさ。だいたい、特許で独占など不当だ」

適当にやることに、みなの意見が一致した。しかし、デザインや配線を少し変え、いいわけのたつようていさいをつくろった。

装置の生産台数は増加した。好評であり、売れ行きもいい。失業者も大はばにへった。特許権を無視しているのは気になるが、といって、定価を倍にし、特許料を積み立てておく気にもならない。安く作れるおかげで普及し、普及するから安く作れるのだ。パテントなど、なんだ。

しばらくの年月のたったある日、地球を訪れた一台の宇宙船があった。なかから出てきた宇宙人は、まわりに集った人びとに言った。

「わたしはゲレ星の者です」

「よくいらっしゃいました。地球はあなたを、心から歓迎いたします」

「やってきたのは、ほかでもありません。わたしたちの輸送用ロケットがこわれ、ある図面が紛失しました。もしかしたら、こちらに流れついたのではないかと、さがしてるのです」

地球側は、顔をみあわせた。とうとうやってきた。どう説明したものだろう。最初のころならまだしも、全地球にこう普及してしまった今では、ごまかしようがない。あくまでしらん顔をすべきだとの説と、あやまるほうがいいとの二つの説が出た。ゲレ星人の友好的そうな点から、なんとか話し合いで解決したほうがよさそうに思えた。

損な役割を押しつけられたひとりが、代表として交渉に当った。

「じつは、この地球に流れつきました。好奇心にかられて作ってみましたが、すばらしい装置ですね」

「そうでしたか。しかし、作ったのなら、文字が解読できたはず。あの図面には、特許権所有と書いてあったはずです。それを無視なさったとは困ります」

地球側は頭をさげた。文句をつけて、巨額な使用料を取り立てるつもりなのだろうか。そうなったら、勝手にしろといなおるまでのことだ。おそるおそる言う。

「無視したとなると、どうなさるおつもりですか」

「いったい、どう使っているのです……」

ゲレ星人は質問した。そして、地球での普及ぶりを知ってから言った。

「……そんな使い方でしたら、使用料はいりません。けっこうです」

「ありがたいことです。しかし、それはまた、なぜなのです」

ふしぎがる地球人への答えはこうだった。

「あれは、他星に送って、文明の進歩をストップさせる装置です。味をしめたら二度と離したがらず、熱中のあげく、ほかのことを考えなくなるからです。いくつかのうるさい星に使い、文明を衰退させておとなしくさせました。そのような目的のために、ゲレ星が開発した、じつに効果のある装置です。そんなふうに使用されたとなると、これは特許使用料をいただかなくてはならないのですが……」

打ち出の小槌《こづち》

学者が二人の助手を連れて、ある山奥へやってきた。歴史が専攻で、このあたりにかつて村が存在したはずだと推測し、調査に出かけてきたのだ。

そのへんを歩きまわっていると、崩れた石垣のあとのようなものがあった。

「ほら、人の住んでいた形跡がある。そのあたりを掘ってみろ、なにか出てくるかもしれない」

学者は命じ、助手はそれに従った。やがて、食器かなにかのセトモノの破片などが出てきた。それに勢いをえてさがしているうちに、助手のひとりが声をあげた。

「先生、こんなものがありました。なんでしょう」

ちょっと重いもので、柄の短いハンマーのような形だ。学者はそれを手にとって眺めた。

「うむ。あまり見なれないものだな。実用品とも思えない」

よごれを落してみると、金色の地はだがあらわれた。どことなく神秘的な感じがするが、なんであるかは依然としてわからない。学者はなにげなく手で振りながら、精神を集中してつぶやいた。

「これがなんなのか、知りたい……」

そのとたん、それに答えるかのように、頭のなかに声が浮かんだ。〈これは打ち出の小槌です〉との言葉が。学者は助手たちに言った。

「わかったぞ。これは打ち出の小槌だ。一寸法師の物語に出てくるあの品が、これなのだ」

「本当ですか。どうしてわかったのです。なぜそうと言えるのです」

助手たちはふしぎがった。そんなものが実在していたとは、とても信じられないのだ。

「本物かどうかは、ためしてみればすぐにわかる。なにを出現させてみようか」

「酒はどうです。本物だったら、すぐに祝杯をあげることができます」

学者はうなずき、小槌を振りながら、精神を統一し、頭にワインのイメージを描きながら言った。

「ワインがほしい。いいワインよ、出てくれ」

そのとたん、それはそこに出現した。助手たちは驚いた。

「本物なんでしょうね、これは」

「幻覚かどうかは、飲んでみればわかる」

みなはかわるがわる飲んだ。いいにおいがし、のどにアルコールの快い刺激が走り、やがて酔ってきた。助手は言う。

「いい気分になってきました。となるとワインは本物、そして、これは本物の打ち出の小槌ということになりますね」

「ああ、論理的に考えると、そのような結論に到達する」

学者はみとめ、助手のひとりは叫んだ。

「すごい。夢のような話ではありませんか。ちょっと使わせて下さい。ぼくは前から、スポーツカーが欲しかったんです。それからヨットも」

「まて、そうあわてるな。第一このような道も満足についていない山奥で、スポーツカーやヨットを出したってしようがない。われわれは今こそ冷静に考え、行動しなければならぬ」

「それなら、どうしたらいいのでしょう」

「そこでだ。これは打ち出の小槌だから、なんでも出せるはずだ。また、こんな貴重なものを紛失したら大変だ。すなわち、その二点から考え、もうひとつ作っておこうというわけだ」

学者はそれを念じ、小槌を振った。もうひとつの小槌が出現した。それを持って助手が念じながら振ると、さらにひとつ出現した。三人にゆきわたったことになる。出現したものも同様な性能を持つことが証明された。もちろん、外見もみわけがつかない。

「これそのものが出現するとは知りませんでした。それなら、予備にもうひとつ……」

小槌を振るたびに、それは数がふえた。

「一寸法師の物語には、このような行為が書かれていませんでしたが、なぜでしょうか」

「そういえばふしぎだな。考えてみると、このような品は自分だけで持っているからこそ価値があるので、たくさんふやしたら意味がなくなるためかもしれない。うむ、これはちょっと早まったかな」

「それなら、ためしに打ち出の小槌をひとつずつ消してゆきましょうか」

「まて、もったいないことをするな」

「わかってますよ」

三人はふやすことに熱中した。通りがかりの登山者がそれを眺め、そのニュースはたちまち伝わり、都会から人びとがやってきた。こんなことを申し出る者もある。

「いかがでしょう。いくらでも代金は払いますから、ひとつゆずってくれませんか」

「札束をふりまわしたりして、なんです。そんなもの、これでいくらでも出せるんですよ」

「では、これから、どうなさるおつもりなんです」

「個人の利益が目的なら、こんなにふやしはしません。世の中のために役立たせるのです。正しく使えば、あらゆるごたごたは、すべて解決されるはずです」

「立派なお考えです。いずれは、みなの手にゆきわたるというわけですね」

かなりの数にふえた打ち出の小槌は、都会へと運ばれた。

まず選ばれた人たちに配られ、各人はそれぞれの願いをこめて振った。

助手は念願のスポーツカーを出そうとした。コンピューターを念じた者もあり、大きなダイヤを念じた者もあった。ダイヤなど、すぐ暴落するはずの品だが、そこが人情というものだ。完備した病院を念じた良心的な人もあった。しかし、これだって、健康を念じて振ればすぐ不要になるはずのものだ。

すべてがいっせいに出現するはずだった。だが、いずれの品も出てこなかった。いや、正確にいえば、出現したものはどれも一枚の紙。字が書いてあり、学者はそれを読んだ。現代語になおすと、こうなる。

〈これで小槌に与えられた魔力の、規定の回数は終りです。長いあいだご使用いただきましたが、さぞお役に立ったことと思います〉

もはや、いかに念じようが、振りまわそうが、なにも出てこない。小槌をふやすことで、権利を使いきってしまったのだ。というしかけだったとすれば、物語に小槌をふやす話が出てこなかったのも、当然のことといえよう。

あるエリートたち

大きな企業であるK社では、新入社員もかなりの人数だ。会社は彼らに対して、入社試験の時にすでにすんでいるはずなのに、もう一回、精密に性格や健康の検査をした。知能に関しては、各方面の専門家を招いて、くわしく調べてもらった。

新入社員たちは、これでエリートコースとそうでないのとに分けられるのかと、緊張しながら結果を待った。やがて四人の氏名が発表になった。ほかの者たちはがっかりし、選ばれた連中を羨望《せんぼう》の目で眺めた。

重役はその四人を、別室に呼んで告げた。

「きみたちは、あらゆる面で優秀な人材とみとめられた。すなわち、わが社の精鋭である。最も重要な部門を受け持ってもらうことになる」

こうなると、悪い気はしない。みな誇らしげな表情で答えた。

「光栄です。もちろん、あらん限りの努力をいたします」

「給料やボーナスは特別に多く払う。また請求書さえ出せば、金は好きなだけ使っていい。節約しろなどとは言わぬ」

「ありがとうございます。それで、どんな仕事なのでしょうか。早く命じて下さい」

「なにもするな、ということだ。生産的なことは一切してはいかん」

信じられないような話だった。みなは、ふしぎそうに質問した。

「それは、なにかの冗談なのですか」

「冗談ではない、これが会社の命令だ。いやなら、やめてもらう以外にない」

変な命令だが、ことわって辞職するほどのことでもない。四人はいちおう承知した。

重役の命令は、うそではなかった。K社には重役用の寮が気候のいい海岸にあり、四人はそこへ送られた。管理人がいて、雑用はなんでもやってくれる。つまり、四人は雑用もしなくてよかったのだ。しかし、なにもしなくていいというのも、落ち着かない。働いているほかの同僚のことを思うと、申しわけない気がする。

企業の勉強でもしようかと話し合ったが、そのたぐいの本は読ませないようにいわれていますと、管理人にとめられてしまった。しかし、小説や劇画のたぐいなら、なんでも買ってきてくれる。

仕方がないので、軽い体操や釣りをしてすごした。だが、それはあまりにも退屈で、刺激がない。彼らはトランプや碁や将棋をやろうと思った。おそるおそる申し出ると、これには管理人も反対せず、すぐに道具をそろえてくれた。碁の先生を呼んでくれというと、それもかなえられた。

なにもしないことへの欲求不満、うしろめたさ、持てあましているひま。妙な気分のなかで、遊びはしだいに大がかりとなった。マージャンの用意をたのむ、酒を持ってこい、うまい料理だ。請求書を書けば、どんなことでもできるのだった。

マージャンはひと月ぶっつづけにやり、それにはあきてしまった。酒も高級酒を好きな時に好きなだけ飲んだが、四人はアル中にならない性格であったため、ほどほどでとどまった。

依然として、仕事の命令はない。命令は、そのままでいろである。

「いったい、どういうことなんだ。われわれは、どうしてこんなことになったのだ」

「わからん、さっぱりわからない」

いささかやけになり、四人は勝手な品を請求した。玉突き台がほしい、パチンコ台をそなえつけろ、プールを作れ、射的をやってみたい、体操の道具だ。それらはみなかなえられた。

世界中の遊び道具が集った。みな、どれについても、ひと通りできるようになった。やがてこの生活にもなれ、あまりいらいらしなくなった。こんな結構な身分はないじゃないか、心ゆくまで楽しもうじゃないかと、はらをきめたのだ。

結婚は禁止されていたが、女の子と遊ぶのは自由で、請求すればどんなタイプの女性でも派遣されてきた。むかしの王侯貴族か大金持ちの生活のようなものだった。

「おれたちは、一生こうしていられるというわけか」

「ああ、悪くない毎日だ。だけど、なにかもっと面白い遊びはないものかな。既成の遊びにはあきてしまった」

「まったくだ。なにか、気のきいたひまつぶしの方法があればいいのだがな」

四人はねそべりながら、遊びのひまに話しあう。

こんな状態のまま、数年がたった。みなは仕事の命令の来るのを待つことをあきらめ、ひたすら遊んだ。

そのうち、新しい遊びをくふうした。それは地面に複雑な図形を描き、ボールを使い、人間がチェスの駒《こま》のようになって遊ぶものだった。スポーツと知的ゲームとギャンブルの長所が、うまくミックスされている。いままでの遊びの経験がおりこまれたのだ。四人はそれに興じた。

そんな時、久しぶりに本社から重役がやってきて言った。

「よくやった。管理人からの報告で、急いでかけつけてきたのだ」

「やったとおっしゃいましたが、わたしたちはなにもやっていませんよ。遊んでいるだけです」

「いや、いまやっているじゃないか。新しいゲームを開発してくれたではないか。それが目的だったのだ」

それを聞いて、四人は不満げに言った。

「それならそうと、はじめにおっしゃってくれればよかったのに」

「いや、それではだめなのだ。現在あるスポーツやゲームは、どれも十九世紀以前にうまれたものだ。そして現在、いまほど新しい遊びが強く求められている時代はないのだが、人びとはせかせかし、開発する精神的余裕を失っている。面白い遊びというものは、理屈からはうまれない。また、軽薄な思いつきでは成長しない」

「そういうものですかね」

「そうなのだ。生活の苦労など念頭にない、貴族か大金持ちからうまれるものだ。そこで、優秀なきみたちを、むかしのひま人の環境に置き、アイデアがにじみ出て形をとるのを待ったのだ。よくやってくれた。レジャー問題をかかえた未来にむかい、この企業化で、わが社は莫大《ばくだい》な利益をあげるだろう。きみたちは、わが社の大功労者だ。望み通り、どんな報酬でも出そう。なんでも遠慮なく言ってくれ」

四人は口ごもりながら言った。

「できましたら、普通の職場でまともな仕事をやらせて下さい。それが、いちばん面白そうです。遊びにはすっかりあきました」

最高のぜいたく

　こんな手紙が、アール氏からとどいた。

〈このたび、新しい住居に引っ越しました。少し遠いが一度お遊びにおいで下さい。最高のおもてなしをいたします〉

　アール氏は大変な財産家なのだ。財産家というと、金をふやすことだけが楽しみで、日常生活はいたって質素な人が多いが、彼の場合はもっと人間的だ。

　金というものは使って楽しむためにあるという主義で、これまでもいろいろと、それについて苦心してきた。世界中を見物しつくしたし、うまい物は食べつくした。勝負事もいいが、アール氏に対抗して大金を賭《か》ける人は存在しない。アール氏は快楽の新しいアイデアを求めて、いつも頭を悩ましている。

　寝台つき潜望鏡つきの自動車を特別に作らせ、運転させてのりまわしたこともあったという。つまり、ねそべりながら町や風景が見物できるものだ。

　大型画面のカラーテレビをたくさん買い、それを壁いっぱいに並べたこともあった。

全部にスイッチを入れると、色彩が部屋じゅうにあふれ、豪華にして美しい。しかし、内容に変りばえがあるわけではない。これは失敗だったよと、彼はいつだったか打ちあけた。

かくのごとく、アール氏のやることは、いささか子供じみている。だが、それでいいのだ。悟りきった心境になれば、財産は無意味ということになり、大きな矛盾がでてきてしまう。

この手紙を見て、私は訪問してみることにした。出かけて損のないことはたしかだし、どんな快楽を思いついたのかへの好奇心もある。こんどは、なにをはじめたのだろう。

住所を見ると、北国のへんぴな地方。手紙にもあった通り、たしかに遠い。そして、いまは冬。私は出かけ、駅でおりたはいいが、寒いのなんの、どうしようもない。

乗ったタクシーも、道路が凍っていて途中でストップ。運転手は「戻りますか」と言い、私が「あくまでも行くつもりだ」と答えると、私をおろして帰ってしまった。あとは地図をたよりに歩く以外にない。

粉雪を含んだ北風が激しく顔に当り、痛いほどだ。やがて痛みはうすれたが、これは神経が寒さで感じなくなったためで、なおひどい。

いったい、なにが最高のもてなしなんだ。私は文句を言いながら、力をふりしぼって歩きつづけた。それでも、示された通りに進んでゆくと、道は、透明で大きなドームにぶつかった。来意を告げると、門番があけてくれた。

透明なドーム。早くいえば超大型の温室だ。一歩なかにはいったとたん、私は気がゆるみかけた。あたたかいのだ。凍死寸前の状態にあったのが、うそのような気分だ。

ここは別な次元の世界と呼ぶほうがふさわしい。上方からはいくつもの太陽灯の強烈な光がふりそそぎ、地下に熱源が埋めこんであるらしい。

地面には芝生が植えられ、ヤシの木が育ち、ところどころに熱帯地方の原色の花が咲いている。そして、それらにかこまれて、一軒の上品な洋風の家がある。

それをめざして歩きはじめた私は、すぐにオーバーを、つづいて上着をぬがなければならなかった。なにしろ暑いのだ。シャツをもぬぎたくなる。赤道直下の真昼の温度だろう。呼吸をすると、鼻のなかがやけどをしそうだ。汗がとめどなく流れ、それが目にはいる。

建物の入口にたどりつくまでに、私は何度も目まいを感じた。もう少し建物までの距離があったら、日射病にかかったにちがいない。倒れるような姿勢で玄関のベルを押すと、インターホンから、主人であるアール氏の声が流れてきた。

「どうぞ、おはいり下さい。そのドアはよくしめておいて下さい……」

私は建物にはいり、ほっとした。同時に、ドアをよくしめろと告げられた意味もわかった。内部は冷房がよくきいていて、はだからにじみ出ていた汗を、一瞬のうちにひっこめてくれたからだ。

応接間でしばらく待っているうちに、冷房の力のすごいことが身にしみてわかってきた。からだがぞくぞくしてくる。私は手のひらに、息を吹きつけたりした。

オーバーは玄関においてきてしまった。取ってきて着てもいいのだが、それは失礼だ。窓をあけてそとの空気を入れたいが、そんなことをすると怒られるだろう。ドアをよくしめろと注意されてもいる。私はがまんした。訪問者を殺すようなことはしないだろう。

やがて、アール氏があらわれた。あいさつをかわしたあと、アール氏は言った。

「遠いところを、よくおいで下さいました。むこうの部屋にいらっしゃい。きらくにくつろげるようになっています」

案内されたその部屋も、やはり冷房がきいていた。山小屋ふうのつくりで、暖炉が燃えている。

「あの椅子《いす》へどうぞ」

とアール氏は暖炉の前の椅子をすすめてくれた。私はすぐそれに従った。寒くてどうしようもなかったからだ。手をかざし、こごえかけたのをあたためる。救われたような気持ちになる。

しかし、ひと息ついて安心したのもつかのま、またも汗が出てきた。暖炉の火の勢いが強すぎるためだ。惜しげもなくマキがくべられ、炎は音をたてながら踊るように燃え、それからの熱波が、私の顔や胸にぶつかってくるのだ。服がこげるかもしれないほど。私は顔をそむけたり、ハンケチで汗をふいたりした。アール氏を眺めると、彼は部屋のすみの冷蔵庫からビールを出してきて、ジョッキについで持ってきた。

「さあ、まず乾杯をしましょう」

遠慮なく私は飲んだ。あつい時のつめたいビールぐらいうまいものはない。のどから胃にかけて、ひややかな感触が流れる。アール氏はさらに言う。

「どんどん飲んで下さい。ごゆっくり、窓のそとの景色でも楽しんで下さい」

ひえたビールの口あたりはいい。すぐ前では暖炉があかあかと燃えている。室内の冷房はききすぎるぐらいきいている。

窓のそとには、人工の気候による熱帯がひろがっている。あざやかな緑の夏がみちているのだ。そして、そのさらにむこう、ドームのそとは寒い寒い北国の冬。感心している私に、アール氏は念を押すように言った。

「どうです。いい気分でしょう」

私はうなずいた。それから、最高のぜいたくとはこのようなものかもしれないな、と思った。

無料の電話機

カレンダーをめくりながら、エヌ氏は思い出したようにつぶやいた。

「たしか、そろそろ彼が金を持って返しにくるころのはずだが」

半年ほど前に、エヌ氏は友人にちょっとまとまった金を用立てた。商店の運営資金が不足なので、利子をつけて必ず返すからと泣きつかれたのだ。

証書を出して調べてみると、返済の期限をもう三日も過ぎている。それなのに、彼はいまだにやってこないし、連絡もない。エヌ氏は腹をたてた。しようがないやつだ。文句のひとつも言い、催促をしなければならないようだ。電話をかけてやろう。

机の上の電話機に手をのばしかけたが、それをやめ、部屋のすみにある美しい電話機のほうを使うことにした。

その電話機は、銀色の四角い箱の上にのせてある。形状は普通のと同じだが、黄色い花や、白いチョウや、青い星などの模様が描かれているのだ。どことなく幼児のオモチャのような感じがしないでもない。それをかける呼び出し音が続き、やがて相手が出た。

「もしもし、わたしだ……」

とエヌ氏が名を告げると、相手は極度に恐縮した声で答えた。

「いや、これはどうもどうも。まことに、なんと申し上げたものか……」

意味のない言葉を並べながら、時間をかせいでいる。頭のなかでは、うまい言いわけを考え出そうとあわてているのだろう。

その時、受話器のなかに、エヌ氏のでも相手のでもない、第三の声が流れた。若い女性の魅力的な声だ。

〈この電話は、バブ広告社が一切の料金を負担し、無料でございます。ご遠慮なく、ごゆっくりと通話をお楽しみ下さい。しかし、そのかわり、途中でコマーシャルを入れさせていただきます〉

銀色の台の上の美しい電話機とは、つまりそういうわけなのだ。バブ広告社が新しく開発した広告媒体。必ず聞いてくれるから、効果も大きいはずだとの予想のもとに実現した。

先日、広告社の人がやってきて、電話機を置かせてほしいと持ちこんだ。エヌ氏は、べつに金を出すわけでも、損になるわけでもないので承知した。そして、いま、この電話を利用してみることにした。貸し金の催促に、電話料のかかる普通の電話を使うのは、ばかばかしいように思えたのだ。

広告の声が終るのを待って、エヌ氏は本題にとりかかった。

「おい、貸した金はどうしてくれるのだ。約束の期日は、とっくに過ぎたのだぞ。あんなにかたく約束したではないか」

「………」

「おい、なんとか言ったらどうだ。聞いているのか。聞こえているのか」

エヌ氏はもっとしゃべり続けていたかったのだが、中断せざるをえなかった。コマーシャルがはじまったのだ。

〈補聴器でしたら、品質の優秀さを誇る青光電機の製品をどうぞ。低音から高音まで、忠実に増幅する超小型の……〉

それがすむと、相手はやっと、どもりながら弁解をはじめた。

「も、もちろん、借金を忘れたわけではございません。あのお金はわたしの店の改装に使ったのですが、どうも計算どおりに商売の売り上げがのびませんので……」

さきを続けようとしたが、通話のなかへＣＭが割り込んできた。

〈ご商売についてのご相談でしたら、マキ経営コンサルタント・サービス社のご利用

を。ショーウインドウの飾りつけ、商品陳列、労務管理、すべてを診断して、お店の繁栄を二倍にしてさしあげます……〉

三十秒ほどでそれが終ると、エヌ氏は少し強く言ってやろうと、受話器にむかって声を高めた。

「だいたい、あなたはいいかげんな性格だ。やることが無計画で、だらしない」

「はあ、申しわけありません」

「もし、借金なんかふみ倒せばいいという安易な気持ちがあるのなら、こっちにも覚悟がある。ただではすまないぞ」

またもCMがはじまった。

〈銃をおもとめの際は、ナグ運動具店へおいで下さい。猟銃は世界の一流品を取りそろえてございます……〉

相手はふるえ声で答えた。

「お願いです。助けて下さい。お怒りはごもっともですが、もう少し待って下さい。じつは、むすこに好きな女性ができ、急に結婚するのだと言い出したので、その準備もしなくてはならないのです」

ＣＭがはいる。

〈結婚式には、ギャラクシー会館のご利用をおすすめいたします。上品で豪華なムード。そして、お値段のほうは、ご予算に応じて……〉

エヌ氏は言う。

「そうとは知らなかった。むすこさんの結婚が本当なら、わたしもあまりむちゃは言わない。しかしだ、それならそれで、返済期日が来る前に、事情説明のあいさつに来るべきだ」

ＣＭが流れこんでくる。

〈ご贈答品には、どなたさまにも喜ばれる、初雪屋の和菓子をどうぞ。手みやげの品として最適でございます……〉

相手は、行けなかった弁解をする。

「そうすべきだとは存じておりましたが、ちょっとからだを悪くしまして。としのせいか、肩がこり疲れやすくなって……」

また、そこで中断される。こんどはＣＭソングだ。

〈強力クドール、強力クドール。みんなの総合栄養剤。粒のなかには若さがいっぱい、活力がいっぱい……〉

さっきからだいぶ当り散らしたが、エヌ氏の腹の虫はまだおさまらない。

「病気で出られないのなら、手紙でも、電話でもいいのだ。物事には、けじめをつけなくてはいけない。仕事に対して、もっとしっかりすべきだ」

金を貸してあるので、言いたい放題。相手のほうは、やられっぱなし、せめられっぱなしで、泣き声を出した。

「しっかりやってはいるんですが、経営が苦しいんですよ。少しは同情して下さい。世の中が悪いんです。政府がもう少し、中小企業対策に熱を入れてくれるといいんですが」

またもCMがはいった。こんどは太い男の声で、名前をくりかえし叫んだあと言った。

〈住みよい社会を作るために、わたくしはこのたび立候補いたしました。なにとぞ、みなさまの熱烈なるご支援をお願い申しあげます……〉

夕ぐれの行事

夕ぐれ近い時刻になると、そいつは毎日、町のどこかへあらわれる。商店の並ぶ通りであることもあるし、団地へやってくることもある。きょうは、ある住宅地へやってきた。

そいつがあらわれることは、少し前に知ることができる。大きな声をはりあげているからだ。よく聞けば歌らしいところもあるのだが、ちょっと高音部になると狂った声になり、低音部では濁った水が下水を流れるような声になる。とても歌とは呼べず、騒音以外のなにものでもない。

その歌らしいものに、合わせようとしないのか、合わせられないのか、足音を不規則に響かせてやってくる。だから、そいつの接近がわかるのだ。

その音を耳にすると、だれもがあわてて身をかくす。庭で遊んでいた幼い子供は、すぐに家のなかへ戻ってくる。道を歩いていた人びとは、近くの家にかくれさせてもらう。家の住人は、それが見知らぬ人であっても、こころよくなかへ迎えてくれるのだ。また、耳の遠い老人や目の悪い人は、だれかが親切に手を貸して、安全なところへ案内してくれる。家々の入口の戸にはかぎがかけられ、窓にはカーテンが引かれる。たちまちのうちに人通りが絶え、静かになった道を、そいつは千鳥足で歩いてくる。ほえつく犬もたまにあるが、すぐに悲鳴をあげて逃げ戻ってしまう。

そいつは黒めがねをかけ、派手な帽子をいやらしくかぶり、だらしなく服を着ている。そして、時どき腕をふりまわしながら叫ぶのだ。

「やい、このやろう。おれはえらいんだぞ。だれか出てきやがれ……」

しかし、どこからも応答はない。人びとはみな、家のなかで息をひそめて、そいつの通りすぎてしまうのを待っているのだ。戸のすきま、カーテンのはじから、おびえた視線をちらちらとそそぎ、無事に行ってしまうようにと祈る。

そいつの呼びかけに応じ、出ていって相手になったところで、かなうわけがないのだ。なにしろ、そいつはロボットなのだから。丈夫な金属でできていて、なにを使っても歯がたたない。そのロボットは、やがて一軒の家の前で足をとめる。いかに祈ろうが、そいつがやってくると、何軒かはその不運な目にあわなければならないのだ。

ロボットは戸をたたきはじめ、にくにくしい声でわめきちらす。

「やい。おれは金がほしいんだ。金がいるんだ。くれ……」

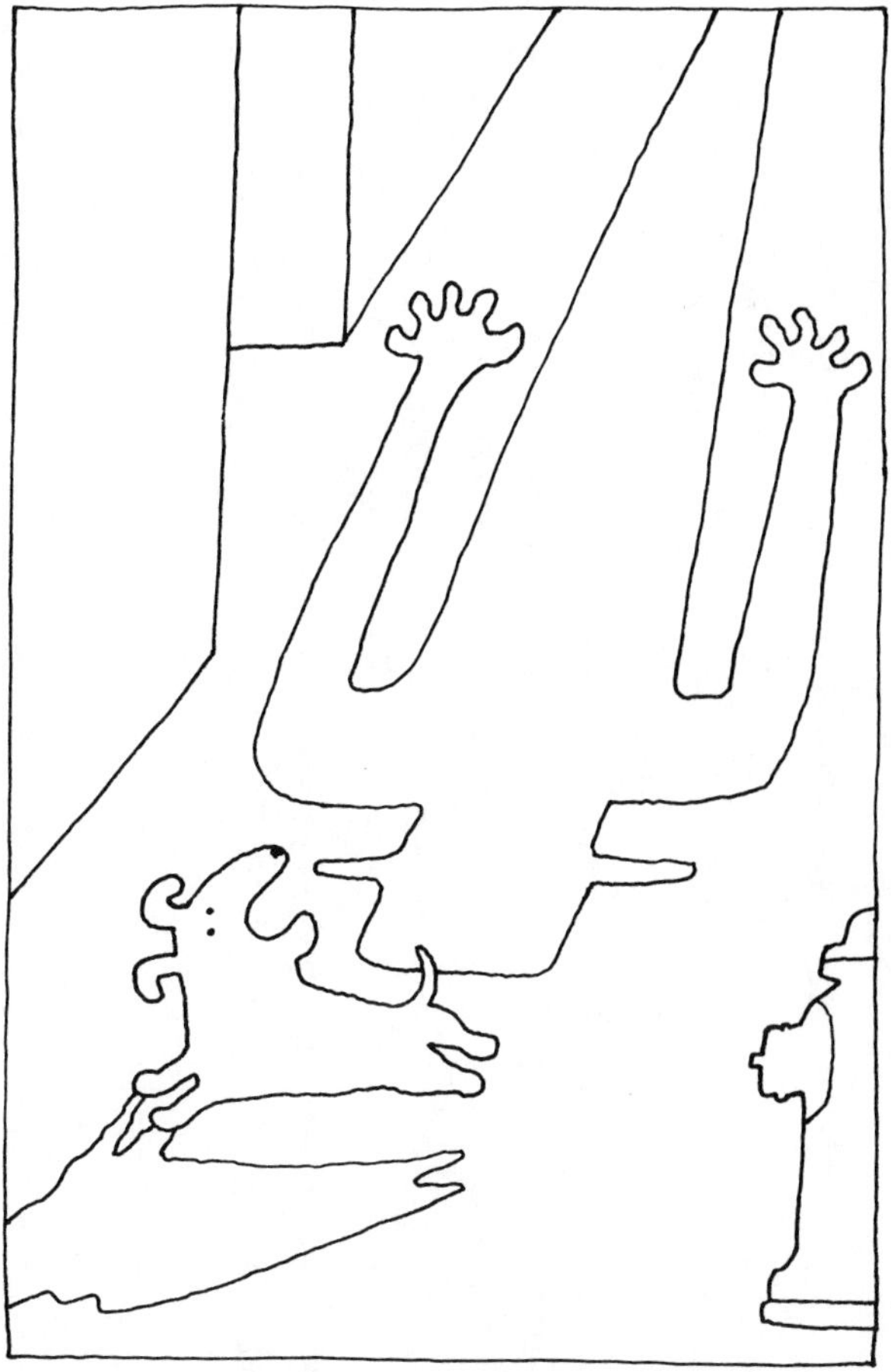

理屈もなにもない、むちゃくちゃな話だ。だまって答えないでいると、さらに声をはりあげて叫びつづける。

「金をくれって、言ってるんだぞ。出せ。けちんぼ。ばか。しみったれ。うじ虫。ちきしょうめ……」

だんだん悪口がひどくなる。それに、たたくのも激しくなり、戸がこわれそうになる。住人は仕方なく金を出す。戸の下のすきまから、何枚かの貨幣をそっと出すのだ。戸をあけて手渡す気には、とてもなれない。

ロボットは拾いあげ、悪態をつきながら、また歩きはじめる。

「なんだ、これっぽっち。しかし、もらってやるぞ。ありがたく思いやがれ……」

その家の住人はほっとするが、こんどは別の家がはらはらする。ロボットは何軒か金をおどし取ったあと、酒を売っている店の前でとまり、またも叫ぶ。

「おい。酒をくれ。金はあるんだ。お客さまだぞ……」

あたりに酒店がなければ、バーやレストラン、それも近所になければ、一般の家であろうと見さかいなく目をつけられる。

そのあげく、酒のびんが差し出されることになるのだ。断わって建物をこわされたりするより、まだましではないか。そして、たいてい金はもらえない。請求などしたら、呼び戻すことになり、どんなことをされるかわからない勢いなのだ。

ロボットはびんの酒を口に流しこみ、さらにさわぎたてる。あっちへよろけ、こっちへ倒れかかり、ぶつかるたびに家々が少しこわれる。

「なんだ、いくじなし野郎ども。虫けらめ……」

いい気にどなり、あげくのはては、口から汚物を吐く。飲んだままの酒ではなく、いやなにおい、妙な色のついたものが飛び散る。そして、道ばたにねそべり、わけのわからないことをわめきちらす。

そのころになると、さすがに、さっきからのふるまいにがまんできなくなった人びとがあらわれる。ことなかれ主義で、びくびくしながらかくれていることに恥ずかしさをおぼえたからだ。

といって、おとなは少ない。たいていは純真な十代の少年たちだ。なかには少女もいるし、十歳以下の子供もまざっている。彼らはそれぞれ、自分たちのくふうした武器を持っている。ゴムひもを使って石をぶつける者もあれば、長い棒でひっぱたく子もある。表情には、怒りとにくしみがこもっている。

「あっちへいっちゃえ」

「死んじゃえ」

あきびんや、こわれた食器や、積み木や粘土や、えのぐをとかした水などが、これでもかとばかり、雨のごとく投げつけられる。

そのうち、ロボットはよろよろと立ちあがり、よろけながら歩きはじめる。

「やーい、ざまみろ」

子供たちのあざけりの声をあとに、どこへともなく去ってゆくのだ。

そして、すべては終り、やがて静かななごやかな夜があたりに訪れてくる。

この一連のできごとは、なにもかも遊びなのだ。ロボットははじめからそのように作られ、そのために町へあらわれるようになっている。この平穏きわまる社会にあっては、これも一種の楽しみなのだ。

しかし、娯楽のためだけではない。けっこう費用もかかっているのだ。すなわち、子供たちへの教育的な効果も計算にはいっており、それははっきりとあらわれている。社会の秩序を乱すもの、きらわれもの、力をあわせて退治すべきものの典型。それが示され、知らされるのだ。また、協力して追っぱらったあとの、この上ない快感も。

いつだったか一度だけ、本物の人間が酔っぱらったあげくそれに似たことをやり、子供たちのイメージを刺激し、その反射神経によって、半殺しにされかけたことがあった。

それからは、だれもやろうとしない。子供たちだって、成長してあんなのになりたいとは、夢にも考えない。当り前のことだ。

帰宅の時間

夜おそく、エヌ氏は自宅へ帰ってきた。もう十二時をまわっている。こんなことは、いままでに一度もなかった。つとめ先の仕事が終ると、まっすぐに家にむかい、六時ちょっとすぎに帰宅するというのが日常だったのだ。

エヌ氏は、おそるおそる玄関のベルを押した。ベルは鳴りつづけているのだが、なかなか応答がない。やがて、はたせるかな、エヌ氏の夫人のふきげんな声がした。

「どなたです。こんな時間にベルを押されては、迷惑ですわ」

つんつんした口調だ。エヌ氏は恐縮した声で言った。

「わたしだ。おまえの亭主だよ。おそくなって悪かった。どうにもならない用事があったのだ。たのむ、入れてくれ」

「さあ、知りませんよ。うちの人なら、こんな時刻に帰るわけがありません。ですから、こんな時刻に帰ってくるのは、うちの人じゃありません」

わかっているくせに、とりつくしまのない返事だ。エヌ氏は必死に説明し、あやまり、泣かんばかりにたのみ、やっと戸をあけてもらった。夫人が、近所の手前みっともないと考えたせいだろう。

なかへ入れてもらい、エヌ氏はほっとして言った。

「なにか食べるものはないかい。おなかがすいているんだ」

「知りません。いまごろ帰ってきて。いったい、なにをしていたんです。それを正直におっしゃらないうちは、だめです」

夫人はなかなか強硬だ。仕方がないので、エヌ氏は考えたいいわけを言った。

「じつはだね、帰りに会社を出たとたん学生時代の友人にばったり会ってしまったんだ。むかし世話になった義理があってね、つきあえと言われると、どうにも断われなかったのだ。それで、つい引きとめられてしまった。おまえに無断でそんなことをして、悪かったよ」

だが、夫人は目をつりあげて言った。

「うそおっしゃい。本当につきあったのだったら、帰っておなかがすいているはずはないわ。そのお友だちって、だれなの。電話をかけて、たしかめてみるから」

「ええと、それが……」

「ほらごらんなさい。ばれたでしょう。それに、服に女のにおいがするわ。浮気してたんでしょう。あたし、もうがまんができないわ。実家に帰り離婚の手続きをとるから……」

やきもちやきの夫人は、ますます高い声を出し、エヌ氏は弱ってしまった。きょうは、ごまかしきれないかもしれない。彼は苦しげな表情を浮かべたあと、話しはじめた。

「では、本当のことを打ちあける。いままでおまえにも言わず、ずっとかくしてきたことだ。極秘のことなのだ。だから、よそで絶対にしゃべっては困る。いいかい……」

「なによ、大げさね。いいから、話してごらんなさい」

「わたしが毎日つとめに出かけている会社は、外見は小さな貿易会社だが、その正体は対外情報部の一機関なのだ。そして、わたしは秘密情報部員なのだ……」

エヌ氏はついに真相を口にした。言うべきではないのだが、夫人が興奮して離婚だとさわぎたて、弁護士や私立探偵に依頼し、問題がひろがったらえらいことになる。ここで夫人をなっとくさせ、食いとめねばならぬ。

エヌ氏は一見ぱっとしないが、暗号解読にかけては天才的な才能を持っていた。毎日、出勤し、自分の受け持ちである資料室にはいり、机のボタンを押す。すると壁が割れて、大型コンピューターがあらわれる。それを使って解読するのが、彼の仕事だった。いかなる国の暗号も、ほとんどとくことができた。

しかし、ここの秘密情報部員たる者は、あくまで平凡なつとめ人をよそおわなければならない。エヌ氏はその内規に従い、ずっとそうよそおってきた。したがって、夫人にもさとられず、近所の人にも善良で普通の会社員と思われていた。

しかし、外国のスパイの目まではくらましきれなかった。きょうの夕方、エヌ氏がいつものように会社を出ると、ひとりの女性がすりよってきた。そして、彼の横腹に拳銃《けんじゅう》をつきつけ、言い渡した。

「さあ、さわいだらうつわよ。おとなしくいっしょに来てちょうだい」

そして、用意の車に押しこまれ、敵の一味のかくれがに連れこまれた。女は某国のスパイで、自国の暗号をどのていど解読しているのか教えろと迫った。

だが、それはエヌ氏の命をかけても守るべきこと。白状しろ、しないで、根くらべとなった。エヌ氏もいちおうの筋金入り。いくらおどしてもだめで、女はいらいらした。

そのちょっとしたすきを見て、エヌ氏は相手の拳銃をとりあげた。ひとりをうち殺し、ほかの連中に手をあげさせた。すぐ情報部の隊員に連絡し、引き渡してあとをまかせる。

それでやっと帰宅できたのだ。

「……というわけなんだ。だから、途中で電話もできなかった。わかってくれ」

エヌ氏が体験のありのままを話したのに、夫人は大笑いした。

「あなたに、こんな物語の才能があるとは思わなかったわ。きっと、スパイ小説の読みすぎね。ばかばかしい」

「いや、本当のことなんだよ」

「信じろなんて、むりよ。それなら、証拠でもあるの……」

「それは……」

エヌ氏はつまった。表面はあくまで普通の会社員なのだ。秘密情報部員の証明書など、持っているわけがない。上役に聞いてみてくれと言おうにも、そうだとは答えてくれないことになっている。あくまで秘密の機関なのだ。そのようすを見て、夫人は言った。

「ほらごらんなさい。あなた、変な小細工をせず、すなおにあやまればいいのよ。二度としないと約束すれば、許してあげるわ」

さからえない情勢だ。エヌ氏はそうすることにした。

「その通りだよ。おまえにかくしごとはできない。すぐ見破られてしまう。たしかに女の子にさそわれて、遊んでいたのだ。だが、少しももてなかった。すまん」

エヌ氏は頭を下げ、夫人は満足した。

「そうよ。あなたがもてるわけないわ。これにこりて、二度と夜遊びはしないことよ。それから、さっきの情報部員だなんて話、これからは、決して口にしないで。いいとしをして、みっともないし、よそでしゃべったりしたら、頭がおかしいと思われるわよ」

真実、抜群の能力を有する情報部員のエヌ氏なのだが、家に帰ればみるかげもないただの亭主だ。

助言

ある夜、ある大きな国の元首の部屋に宇宙人があらわれた。

机にむかってひとり考えごとをしていた元首は、なにかのけはいを感じてふりむき、きもをつぶした。子供ぐらいの大きさで、細長い三角形の頭をし、明るい青色の人物がそばに立っていたのだから。

「おまえはだれだ」

「わたしはイル星から来た者です」

「なるほど、宇宙人というわけか。しかし、執務に疲れたあげくの幻覚かもしれない。また、だれかのいたずらとも考えられる」

「ご不審はごもっともです。では、さわってごらんになったらどうです。いたずらとかおっしゃるが、警備の目をかすめて、ここまではいれる者はないでしょう」

さわってみると、なまあたたかく、変にすべすべしていた。元首はなっとくした。

「たしかに、本物のようだ。どうやってここまで来た。なにが目的だ」

「あなたがたの呼び名では、空飛ぶ円盤ということになりましょう。それに乗って宇宙空間を越え、この建物の上に着陸したというわけです。レーダーのたぐいには反応しないしかけがついているので、だれにも感づかれなかったのです。来た目的は、いうまでもなく友好です」

「そうだったのか。安心した。われわれとしても他星との友好には、もちろん賛成だ。しかし、地球には、まだまだやっかいな問題があってね……」

元首はふと困ったような顔になった。イル星人はうなずきながら言った。

「事情は、ほぼ想像できます。わたしも着陸前に、いちおう観察しました。地球上には対立があるようですね。その点は、わたしたちにとっても困ったことなのです。友好関係にはいろうにも、相手方の内部が不統一では、やりにくくてしようがありませんしね」

「いや、まったく、お恥ずかしい。言われるまでもなく、それでわたしも毎日あれこれ悩んでいるのだ。さっき幻覚かと思ったのも、頭が疲れていたせいだ。しかし、この不統一は当分つづくことだろう」

「それはなぜですか」

「力の均衡のせいなのだ。わが国がもう少し強いか、対立国がもう少し弱ければいいのだが……」

　元首は残念そうに言った。宇宙人がやってきて、他星との友好を結べるまたとない機会を、みすみすのがさなければならないとは。

　しかし、それをはげますように、イル星人はひとつの提案をした。

「そこですよ。そうがっかりなさることはありません。わたしだって、このまま帰るのはつまりません。なんでしたら、お力をお貸しして、ご希望にそえるようにいたしましょう」

「というと、どんなことなのだ」

「失礼ですが、わたしたちのほうが少し科学が進んでいます。対立国に大きく差をつけることができるよう、お手伝いしようということです」

「たとえば……」

「いま持ちあわせているのは、絶対的防御装置の図面です。形は高いアンテナのようなものですが、これを立てると、そのあいだの空間はいかなる物体をも通しません」

「なるほど」

「つまり、目に見えぬ丈夫な幕が高空まで張られたようなものです。これを国境に張りめぐらしたらいかがでしょう。ジェット機だろうが、ミサイルだろうが、ひとつも侵入できません」

　イル星人の説明で、元首はうれしがった。

「うむ、それはいい。そうしておけば、外国相手にどんな強い交渉でもできるというわけだな。世界もたちまち統一できる」

「そうですよ。はい、これがその設計図です。早いところ生産に移し、急いで使用して下さい。地球にはスパイというものがいて、ぐずぐずしていると、秘密はすぐに敵に知られてしまうらしいじゃありませんか。また、わたしだって、そうそうのんびりと待っているわけにもいきません」

「わかった」

「それから、わたしのことは、ひとまず内密にしておいたほうがいいでしょう。他星人が介入しているとなると、混乱が大きくなるかもしれません。統一ができてから発表したほうが、みなさんも冷静に受け入れてくれましょう」

「わかった」

　元首はさっそく、最高秘密会議を開いた。反対はなかった。国家の利益になることだ。また、これで他星との友好が結べれば、地球のためでもある。

　試作して実施してみると、どんな兵器でも防げる。これなら大丈夫と、大量生産に移された。

そして、絶大な自信のもとに、強硬な交渉がはじめられた。しかし、他国にとっては、あまりに一方的な押しつけだ。対立国も、そう勝手なことは言わせぬと、反対意見を主張する。妥協に至るどころか、みぞは深まり、火は燃えあがり、ついに戦端が開かれた。

しかし、いい気になっている元首のところへ、意外な連絡がもたらされた。

「大変です。敵のミサイルが国境を越えて飛来し、被害甚大《じんだい》です」

元首は青ざめ、あわてて応戦を命じた。それから、そばのイル星人に言った。

「おい、どういうことなのだ。話がちがうじゃないか」

イル星人もがっかりしたようだった。

「わたしも、こうなるとは予想もしませんでした。絶対に大丈夫と思っていたのに。まったく残念だ。くやしい。これは負けです。では、さようなら……」

「おいおい、無責任だ。冗談じゃないぞ。大戦争に火をつけておいて……」

元首のぐちに耳もかさず、イル星人は円盤に乗って飛び立つ。そして、宇宙空間のある場所で待ち、もうひとつの円盤と会い、こんな会話がかわされるのだ。

「いやあ、負けたよ。あの防衛装置だけは、自信があったんだがな」

「こっちだって、新兵器の開発は進めていたよ。防御不能のミサイル研究は、おこたらなかった。それを使わせたんだ」

「いずれにせよ、敗戦はみとめるよ。ルールにより、いかなる条件ものもう」

「しかし、われわれは文明人だな。武器は開発するが、戦争は他の星の住民を巧妙におだて、そいつらに使わせてやらせ、勝負をきめる。合理的なものだ。おかげで、もう長い長いあいだ、わがイル星では一回も戦争がおこなわれていない。これからだって、永久に平和がつづいてくれるのだ」

長い人生

世の中はいろいろと変ってゆくが、そのなかで最も変化しないのは酒じゃないだろうか。大昔の人たちだって、なにかで気分がくさくさした時には、こうやって酒を飲んだにちがいない。いまだって同じだし、おそらく未来になったって同じだろう。

そんなことを考えながら、エヌ氏はバーのカウンターでひとり酒を飲んでいた。彼は大きな会社の社員。家へ帰れば妻子がおり、さらに、このあいだ生れたばかりの孫もいるのだが、まっすぐ帰宅する気になれなかったのだ。

「やれやれ、まったく面白くない。人生とは、こんなにつまらないものなのか……」

エヌ氏は何杯も飲み、酔っていった。となりの席の男は、そのぐちに耳を傾けていたが、やがて話しかけてきた。

「失礼ですが、あまりむちゃな飲み方は、なさらないほうがいいようですよ」

「いいんだ、ほっといてくれ」

とエヌ氏が応じたが、男はやめなかった。

「まあ、事情をお話しになってみたらどうです。悩みを他人に打ちあけるだけでも、気分が軽くなるものです」

「それもそうだな。じつは、わたしの不満はなかなか昇進しないことなのだ。わたしは一流の大学を出て、いまの会社にはいった。そして、大きな失敗もなく、ずっとつとめてきた。しかし、まだ係長なんだよ」

「で、いまおいくつなんですか」

「五十五歳だ」

とエヌ氏は答え、また一杯をのみほした。しかし、男はうなずきながら言った。

「そうですか。しかし、それなら普通じゃありませんか。六十歳を越えないと係長になれない会社だって、あるようですよ。あなた、むかしの小説でも読みすぎたのでしょう」

これが現状なのだ。このような時代になったのは、医学の驚異的な発達のあらわれだった。とどまるところを知らぬ科学は、あらゆる病気をなくし、老衰の来るのをぐんとおそくし、環境衛生をよくし、事故をなくし、寿命を大はばにのばした。

エヌ氏は酒を飲みつづけながら言った。

「いいですか。わが社では、課長になれるのは約九十歳だ。そして、部長に昇進できるのが百二十歳。重役の平均年齢が百六十歳で、社長は二百歳なんだよ」

「わたしは自由業なのでよくわかりませんが、それもいいことだと思いますよ。将来が安定していて、気が楽じゃありませんか」

「よくない。上役の連中は、老化防止剤のおかげでいつまでも元気だ。また思考柔軟薬のおかげで、少しも頭がぼけない。しかも、意欲剤を飲んで勉強もする。だから豊富な経験を持つ彼らは、いつまでも現役、なかなか退陣しないんだ。わたしはこれからの人生を考えると、その長さにうんざりする」

エヌ氏はぼやきつづけた。すると、男は思い出したように言った。

「そうそう、さっきニュースで言ってましたが、また新しく特殊な、若がえり用の電磁装置が開発されたそうですよ。効果はすばらしいそうです。それによって、寿命はさらに五十年ほどのびるとかで……」

「それは本当ですか。ああ、わたしは永久に昇進できないことになりそうだ。上につかえている連中は、決してどかないのだ。わたしはまともに働いて、課長の地位に少しずつ近づいているつもりでも、それ以上の早さで寿命がのびている。地位はわたしをおいて、どんどんむこうにいってしまう。ああ、ああ……」

エヌ氏は泣き声になり、また、やけ酒をあおった。その肩を、となりの男はやさしくたたいた。

「そんな絶望的なこと、おっしゃらずに」

「なぐさめてもだめだ。あなたはつとめ人じゃないから、わたしの気持ちがわからないんだ。昇進がどんなに魅力的なことか、知らないいんだ。ああ、わたしはどれいと同じだ。いつまでも浮かびあがれない……」

「いや、希望を捨ててはいけません。元気を出して下さい。お力になりますよ」

「気やすめは言わないでくれ。わたしを助ける方法なんか、あるものか」

わめくエヌ氏に、男は小声でささやいた。

「まあ、お聞きなさい。いいですか。かりにですよ、あなたの直系の上役である課長か部長かに、仕事上で重大な失敗があったとする。あなたにとって、有利な結果になるのじゃありませんかね」

その意味するところは、すぐにわかった。

「そうだ。そういえばその通りだ。それをやってくれるというわけだな、ぜひたのむ。お礼はたくさんするよ。それに、会社のためにもなる。課長というやつは、どうにもしようのない人物でね……」

エヌ氏は、課長のたなおろしをはじめた。さらに、それは部長の悪口に及び、勢いのおもむくところ、重役たちの欠点を並べたてた。この計画に、大義名分もくっつけなければならない。

男はうなずきをくりかえしたあと、力強く言った。

「わかりました。まあ、どうなるか、少し待って下さい。面白いことになりますよ」

それから数日、エヌ氏は快活にくらした。まもなく、上役のだれかが失脚するのだ。その期待で胸がおどる思いだった。

だが、やがて訪れたものは、その逆。はなはだいやな辞令だった。エヌ氏は平社員に格下げとなったのだ。抗議をし、わけを聞くと、差し出し人不明のテープが重役にとどけられたのが原因だった。再生してみると、エヌ氏がバーでしゃべった、上役の悪口の部分が全部はいっている。

だまされたと気がついたが、もうおそい。たしかにしゃべったのだし、弁明のしようもない。かくして、エヌ氏の過去数十年の実績は消え、ふり出しに戻ってしまった。エヌ氏にかわって係長になった男は、大喜びで祝杯をあげた。いっしょに飲んでいるのは、エヌ氏の言葉を、バーで巧みにテープにおさめた男。新しい係長はお礼を言う。

「いや、今回は大変にお世話になった。五十歳で係長になれるとは、夢のようだ」

「どういたしまして、おたがいに学生時代からの親友のあいだじゃないか。これからも、できるだけのことはするよ」

「じゃあ、あと十五年もしたら、また、この手で、こんどは課長を失脚させてもらおうかな。どうせ、昇進をあせっているから、すぐにひっかかるだろう。そうすれば、わたしも六十五歳で課長という、異例の昇進ができるわけだ。まったく、人生が長くなりすぎたな。こうでもしなければ、うんざりして持てあましてしまう……」

あとがき

ずいぶん前のことだ。たぶん週刊文春だったと思うが、いろいろな作家にアンケートを送り、回答を集め、会社づとめの適性度を分析したことがあった。

その第一位が、なんと、この私ときた。これには驚いた。現実ばなれした話ばかり作っているのにね。しかし、それでいいのかもしれないと思った。現実感覚がまともだからこそ、空想の世界が描けるのだ。たびたび書くことだが、非常識なやつに面白いSFは作れない。

幼時のころから、私は作家になろうなど、考えたこともなかった。小学、中学、高校と、国語の成績は悪くなかったが、作文となると、へたくそもいいところ。いくつか手もとに残っているが、まさに読むにたえない。熱心にやるほどのものと、思っていなかったのかもしれない。

そのくせ、娯楽小説はよく読んだ。昭和十年ごろだが、少年倶楽部《くらぶ》という雑誌があり、江戸川乱歩、大佛《おさらぎ》次郎、佐々木邦《くに》などの有名作家が、力作を書いていた。何度も読みかえし、いまでいう活字中毒だった。ほかに娯楽があまりない時代だったせいもある。

新聞連載の小説も読んだ。山本有三『路傍《ゆうぞう》の石』や、獅子《しし》文六の『悦ちゃん』や、吉川英治《よしかわえいじ》の『宮本武蔵《むさし》』など、次の日を待ちかねたものだ。面白さとはなにかを、肌で知った。

それはともかく、終戦の時は、大学の一年生。農芸化学科で、いま考えると、講義への出席率はよかった。いい教授がそろっていたためかもしれない。卒業成績は、他《ひ》人《と》に見せたいぐらいだ。ただ、工場管理という課目だけはよくない。科学と関係あるまいと、軽く見ていたためだ。

卒業の時、父にどうしようと聞くと「もっと勉強しろ」と言われ、旧制の大学院に在籍し、発酵の研究室へかよった。

父は脳出血のため、言葉がいくらか不自由だった。大学院は二年でやめ、いずれは仕事をひきつぐのだからと、父の経営する製薬会社の手伝いをはじめた。業績はよくなかった。

まもなく父が死に、その借金の山の整理には、手を焼いた。若く独身だったので、気力も体力もつづいたのだろう。いずれこのことを書きたいと思っていたのだが、たぶん実現はしないだろう。いまとなっては、当時の社会背景、東京の風景など、その説明だけで膨大なものになる。

そのうち、作家になってしまった。江戸川乱歩さんに、見出《みいだ》されてである。運がよかったのだ。それに、日本ではあまり前例のないタイプということも、さいわいした。また、会社を整理に至らせた人物をやとってくれるところもあるまいと、背水の陣で執筆した。

こんな人生をたどろうとは、夢にも思わなかった。過去をふりかえると、夢のようだ。つまり、私には、まともな会社づとめの体験がないのだ。そのせいで、それへの一種のあこがれもあるのだろう。なにかのかげんで、すんなり会社づとめをしていたら、どうだったろう。たぶん、とくに優秀ということはなかったのではないか。

本書は、日本経済新聞の日曜版に、文春漫画賞を受賞したての和田誠さんのイラストで、連載したものである。

日本経済新聞が、なんで私にだが、そのころ大阪の万国博を前にして、未来論がさかんだったのだ。パソコンの普及の予測は不充分だったが、発想とストーリーは現在でも楽しんでいただけると思う。

ことは横道にそれるが、アメリカのＳＦの不運は、その全盛期がテレビ普及以前だった点にある。いい話なのに、テレビが欠けていると、どこかおかしい。そこへゆくと、日本では、私が書きはじめた時、すでに普及しはじめていて、生活を大きく変えることが想像できた。

まあ、そんな縁で、日本経済新聞を、ずっととりつづけである。料金は高いが、クールでいい。おかげで、ベトナム戦争だの、中国の文化大革命にも、冷静でいられた。じっくり読めば、時間つぶしにいい。また、外国旅行から帰った時など、日経の外側の一枚、政治面と社会面に目を通せば、留守中の国内の動きが、なんとかわかる。

新聞の勧誘員が来ると、私は「日経にまさる点を五つあげてみてくれ」と言う。すると、妙な表情になって帰ってゆく。義理がたさでもあるが、企業の動きに興味があるのだ。

本にまとめる時、書名に苦労した。ショートショートには、毎回そっけない題をつけてしまう。そのあげく、これに落ち着いたのだが、そんなところだろうな。悪徳商法はあとをたたぬし、まさかという大会社も倒産する。本書中の「盗賊会社」なんて、いじらしいものかもしれない。

どうぞよろしく。

昭和六十年七月

この作品集は昭和四十三年五月日本経済新聞社
より刊行され、その後講談社文庫に収められた。

星新一著　なりそこない王子

おとぎ話の主人公総出演の表題作をはじめ、現実と非現実のはざまの世界でくりひろげられる不思議なショートショート12編を収録。

星新一著　どこかの事件

他人に信じてもらえない不思議な事件はいつもどこかで起きている――日常を超えた非現実的現実世界を描いたショートショート21編。

星新一著　安全のカード

青年が買ったのは、なんと絶対的な安全を保障するという不思議なカードだった……。悪夢とロマンの交錯する16のショートショート。

星新一著　ご依頼の件

だれか殺したい人はいませんか？　ご依頼はこの本が引き受けます。心にひそむ願望をユーモアと諷刺で描くショートショート40編。

星新一著　ありふれた手法

かくされた能力を引き出すための計画。それはよくある、ありふれたものだったが……。ユニークな発想が縦横無尽にかけめぐる30編。

星新一著　凶夢など30

昼間出会った新婚夫婦が殺しあう夢を見た老人。そして一年後、老人はまた同じ夢を……。夢想と幻想の交錯する、夢のプリズム30編。

新潮文庫最新刊

佐伯泰英著
敦盛おくり
新・古着屋総兵衛 第十六巻
交易船団はオランダとの直接交易に入った。江戸では八州廻りを騙る強請事件が横行していた。古着大市二日目の夜、刃が交差する。

相場英雄著
不発弾
名門企業に巨額の粉飾決算が発覚。警視庁の小堀は事件の裏に、ある男の存在を摑む――日本を壊した〝犯人〟を追う経済サスペンス。

玉岡かおる著
天平の女帝 孝謙称徳
―皇王の遺し文―
秘められた愛、突然の死、そして遺詔の行方。その謎を追い、二度も天皇の座に就いた偉大な女帝の真の姿を描く、感動の本格歴史小説。

川上弘美著
猫を拾いに
恋人の弟との秘密の時間、こころを色で知る男、誕生会に集うけものと地球外生物……。恋する瞳がひきよせる不思議な世界21話。

池澤夏樹著
砂浜に坐り込んだ船
坐礁した貨物船はお前の姿ではないのか……。悲しみを乗り越えようとする人々を、時に温かく時にマジカルに包みこむ9つの物語。

月原 渉著
オスプレイ殺人事件
飛行中のオスプレイで、全員着座中に自衛隊員が刺殺された！ 凶器行方不明の絶対空中密室。驚愕の連続、予測不能の傑作ミステリ。

新潮文庫最新刊

新潮文庫最新刊

三浦しをん著
ビロウな話で恐縮です日記
山積みの仕事は捗《はかど》らずとも山盛りの趣味は無限に順調だ。妄想のプロにかかれば日常が一大スペクタクルへ！　爆笑日記エッセイ誕生。

髙橋秀実著
不明解日本語辞典
「普通」って何？「ちょっと」って何？……。毎日何気なく使う日本語の意味を、マジメに深～く思考するユニークな辞典風エッセイ。

川名壮志著
謝るなら、いつでもおいで
―佐世保小六女児同級生殺害事件―
11歳。人を殺しても罪にはならない。だが愛する者を奪われた事実は消えない。残された者それぞれの人生を丹念に追う再生の物語。

六車由実著
介護民俗学という希望
―「すまいるほーむ」の物語―
ケア施設で高齢者と向き合い、人生の先輩として話を聞く。恋バナあり、涙あり笑いありの時が流れる奇跡の現場のノンフィクション。

NHKスペシャル取材班著
超常現象
―科学者たちの挑戦―
幽霊、生まれ変わり、幽体離脱、ユリ・ゲラー……。人類はどこまで超常現象の正体に迫れるか。最先端の科学で徹底的に検証する。

M・グリーニー
田村源二訳
欧州開戦（3・4）
戦いの火蓋は切られた！　露原潜のタンカー轟沈、隣国リトアニア侵攻。本格化する軍事作戦を隠れ蓑にした資金洗浄工作を挫け！

盗《とう》賊《ぞく》会《がい》社《しゃ》

新潮文庫　ほ－4－32

昭和六十年八月二十五日　発行
平成二十五年八月三十日　三十二刷改版
平成三十年六月十日　三十五刷

著者　星《ほし》新《しん》一《いち》

発行者　佐藤隆信

発行所　株式会社新潮社

郵便番号　一六二―八七一一
東京都新宿区矢来町七一
電話　編集部(〇三)三二六六―五四四〇
　　　読者係(〇三)三二六六―五一一一
http://www.shinchosha.co.jp

価格はカバーに表示してあります。

乱丁・落丁本は、ご面倒ですが小社読者係宛ご送付ください。送料小社負担にてお取替えいたします。

印刷・株式会社光邦　製本・憲専堂製本株式会社

ISBN978-4-10-109832-6 C0193